Silone

Nuova storia contemporanea
(Silone)

Il presente volume
è stato realizzato con la collaborazione
di MARIO MICCINESI

CARLO ANNONI

Invito alla lettura di
Ignazio Silone

Ottava edizione

MURSIA

Anno									Edizione			
93	92	91	90					8	9	10	11	12

CRONOLOGIA

Vita di Silone	Avvenimenti culturali	Avvenimenti storici
1900 Nasce a Pescina dei Marsi in provincia dell'Aquila il 1° maggio. Figlio di un piccolo proprietario di terre e di una tessitrice.	*Sigmund Freud pubblica* L'interpretazione dei sogni.	Assassinio di re Umberto I a Monza. Accordo segreto franco-italiano sulla Tripolitania. Rivolta dei Boxers. Gli inglesi si annettono il Transvaal.
1915 Perde i genitori a causa del terremoto.	*In Italia escono: R. Serra,* Esame di coscienza di un letterato*; A. Soffici,* Giornale di bordo. *All'estero escono:* Spoon River Anthology *di Lee Masters* e Cantos *di E. Pound.*	L'Italia partecipa alla Prima guerra mondiale. Conferenza socialista internazionale di Zimmerwald.
1917 Invia alcuni articoli all'«Avanti!» per denunciare le malversazioni della ricostruzione dopo il terremoto. Frequenta la lega dei contadini del suo paese; viene cooptato come segretario regionale della fe-	*In Italia escono: B. Croce,* Teoria e storia della storiografia*; G. Gozzano,* Verso la cuna del mondo. *All'estero: Lenin,* Stato e rivoluzione.	Manifesto della commissione socialista internazionale a Berna. Dichiarazione di guerra degli Stati Uniti alla Germania. Lenin ritorna in Russia. Appelli pacifisti del PSI.

	Vita di Silone	*Avvenimenti culturali*	*Avvenimenti storici*
1917	derazione dei lavoratori della terra. Viene processato per aver capeggiato una violenta manifestazione contro la guerra. Si trasferisce a Roma, diventa segretario della gioventú socialista. È eletto direttore del settimanale « L'Avanguardia ».		
1921	Silone aderisce al PCI con la maggioranza della gioventú socialista.	*In Italia escono: L. Pirandello*, Sei personaggi in cerca d'autore; *G. A. Borgese*, Rubé; *G. Papini*, Storia di Cristo; *U. Saba*, Il canzoniere; *B. Croce*, La poesia di Dante; *G. D'Annunzio*, Notturno. *All'estero escono: C. G. Jung*, Tipi psicologici; *L. Wittgenstein*, Tractatus logico-philosophicus.	Fondazione del PCI. A Roma congresso fascista: costituzione del nuovo partito.
1922	Diviene redattore de « Il Lavoratore » di Trieste. È costretto alla clandestinità in seguito alle persecuzioni fasciste.	*In Italia esce:* Enrico IV di *L. Pirandello*. *All'estero escono: B. Brecht*, Tamburi nella notte; *T. S. Eliot*, La terra desolata; *J. Joyce*, Ulysses; *Th. Mann*, Le confessioni di un cavaliere d'industria. *Piero Gobetti fonda a Torino « La Rivoluzione Liberale ».*	Muore Benedetto XV. Sciopero generale in Italia. I fascisti effettuano la marcia su Roma.

Vita di Silone	Avvenimenti culturali	Avvenimenti storici
1923 Viene inviato in Germania, in Spagna, in Francia per alcune missioni del Partito comunista.	*In Italia escono: B. Croce*, Poesia e non poesia; *I. Svevo*, La coscienza di Zeno. *All'estero escono: E. Cassirer*, Filosofia delle forme simboliche; *S. Freud*, L'Io e l'Es; *G. Lukács*, Storia e coscienza di classe; *R. M. Rilke*, Elegie duinesi; *L. Trotzkij*, Letteratura e rivoluzione.	Stalin viene eletto segretario generale del PCUS. Tentativo di colpo di stato di Hitler. Riforma elettorale in Italia.
1925 Si occupa dell'ufficio stampa del Partito comunista con Gramsci.	*In Italia vengono pubblicati:* Manifesto degli intellettuali fascisti e Manifesto degli intellettuali antifascisti. *Di E. Montale esce* Ossi di seppia. *All'estero escono: A. Hitler*, Mein Kampf; *F. Kafka*, Il processo; *K. Mannheim*, Il problema di una sociologia del sapere; *V. Majakovskij*, V. I. Lenin.	In Italia approvazione delle leggi fasciste. In Germania Hindenburg viene nominato presidente del Reich.
1926 Vengono sciolti tutti i partiti politici e soppressa la stampa di opposizione. Togliatti assume la direzione del Centro estero del PCI; a Silone viene affidata la segreteria del Centro interno.	*Si fonda l'Accademia d'Italia; nasce la rivista « Solaria ». In Italia esce: L. Pirandello*, Uno, nessuno e centomila. *All'estero escono: G. Bernanos*, Sotto il sole di Satana; *F. Kafka*, Il castello; *Th. Mann*, Disordine e dolore precoce.	In Italia si istituisce l'« Opera Nazionale Balilla ». Attentato non riuscito a Mussolini. Il Parlamento approva le leggi di difesa del regime. Guerra civile in Polonia.

	Vita di Silone	*Avvenimenti culturali*	*Avvenimenti storici*
1927	Partecipa ai lavori del Komintern (vedi *Uscita di sicurezza*), si stabilisce in Svizzera. Collabora a « Stato Operaio », rivista del Partito comunista dell'emigrazione a Parigi.	*In Italia escono:* R. Bacchelli, Il diavolo al Pontelungo; G. B. Angioletti, Il giorno del giudizio. *All'estero escono:* B. Brecht, Libro di devozioni domestiche; M. Heidegger, Essere e tempo; E. Hemingway, Fiesta; F. Kafka, America; F. Mauriac, Thérèse Desqueyroux.	In Italia viene pubblicata la Carta del lavoro. Legge contro gli scioperi in Inghilterra. Manifesto della III Internazionale.
1930	Tresso, Leonetti e Ravazzoli vengono espulsi dal Partito comunista italiano.	*In Italia escono:* C. Alvaro, Gente in Aspromonte; M. Praz, La carne, la morte e il diavolo nella letteratura romantica; S. Quasimodo, Acque e terre; D. Valeri, Poesie vecchie e nuove. *All'estero escono:* S. Freud, Il disagio della civiltà; J. Dos Passos, 42° parallelo; T. S. Eliot, Mercoledí delle Ceneri; F. Gundolf, I romantici; T. Mann, Mario e l'incantatore; R. Musil, L'uomo senza qualità; L. Trotzkij, La mia vita.	In India Gandhi lancia la campagna di disobbedienza civile. Elezioni generali in Germania. In Italia promulgazione del nuovo Codice penale e del Codice di procedura penale. Inaugurazione del Consiglio nazionale delle Corporazioni.
1931	Esce dal Partito comunista italiano. Fonda la rivista « Information ».	*In Italia escono:* C. E. Gadda, La Madonna dei filosofi; E. Vittorini, Piccola borghesia.	Agitazioni pre-insurrezionali in Spagna. Conquiste coloniali dell'Italia.

Vita di Silone	Avvenimenti culturali	Avvenimenti storici
1931	*All'estero escono:* B. *Brecht*, La linea di condotta; *A. Gide*, Oedipe; *E. Husserl*, Meditazioni cartesiane; *E. O' Neill*, Il lutto si addice ad Elettra.	
1936 Prima edizione tedesca di *Pane e vino*. Fonda le Nuove Edizioni di Capolago per la pubblicazione di testi degli emigrati.	*In Italia escono:* V. *Cardarelli*, Poesie; B. *Croce*, La poesia; *C. Pavese*, L a v o r a r e stanca; *S. Quasimodo*, Erato e Apollion; *Trilussa*, Duecento sonetti. *Viene fucilato García Lorca; Mann e Brecht sono in esilio. All'estero escono:* G. *Bernanos*, Diario di un curato di campagna; *F. García Lorca*, La casa di Bernarda Alba; *J. Maritain*, Umanesimo integrale; *A. Thibaudet*, Storia della letteratura francese.	In Francia vittoria elettorale del Fronte popolare. L'Italia conquista l'Etiopia; proclamazione dell'Impero. Continua la guerra civile spagnola.
1938 Prima edizione tedesca de *La scuola dei dittatori*; polemiche anticomuniste.	*In Italia escono:* R. *Bacchelli*, Il mulino del Po; *S. Penna*, Poesie; *S. Quasimodo*, Poesie; *B. Croce*, La storia come pensiero e come azione. *All'estero escono:* G. *Bernanos*, I grandi cimiteri sotto la luna; *J. Huizinga*, Homo ludens; *K. Jaspers*,	Hitler occupa l'Austria. Asse Roma-Berlino. In Italia viene pubblicata la Carta della razza. Hitler entra in Cecoslovacchia. La Libia entra a far parte del territorio nazionale italiano.

	Vita di Silone	*Avvenimenti culturali*	*Avvenimenti storici*
1938		La filosofia dell'esistenza; *L. Mumford*, La cultura delle città; *J.-P. Sartre*, La nausea.	
1939	Dal 1939 dirige il Centro estero socialista trasportato a Zurigo (fino al 1944). Dopo una detenzione di alcune settimane nel carcere di Zurigo per essere contravvenuto al divieto di svolgere attività politica, Silone viene internato, prima a Davos nell'inverno del '42-'43, poi a Baden, dalla primavera del '43 all'ottobre del '44. Il provvedimento d'internamento fu preso a seguito della richiesta dell'estradizione di Silone inoltrata dal governo fascista alle autorità elvetiche, che la rifiutarono. La denuncia fascista era la risposta agli echi mondiali di alcuni manifesti e documenti diramati dal Centro estero del PSI.	*In Italia esce:* E. Montale, Le occasioni. *All'estero escono:* T. S. Eliot, Riunione di famiglia; *S. Freud*, Mosè e il monoteismo; *J. Joyce*, Finnegans Wake; *J.-P. Sartre*, Il muro; *T. Mann*, Carlotta a Weimar; *J. Steinbeck*, Furore.	Annessione della Cirenaica all'Italia. Muore Pio XI. Caduta di Madrid e fine della guerra civile in Spagna. L'Italia invade l'Albania. Patto d'acciaio tra Germania e Italia. Hitler invade la Polonia. La Francia e l'Inghilterra dichiarano guerra alla Germania.
1941	Prima edizione tedesca del *Seme sotto la neve*.	*In Italia escono:* La mascherata *di Moravia* e Americana, *antologia curata da Vittorini (vengono am-*	Accordi russo-germanici. Incontro a Bordighera Mussolini-Franco. Tedeschi e italiani

Vita di Silone	*Avvenimenti culturali*	*Avvenimenti storici*
1941	*bedue sequestrate); C. Pavese, Paesi tuoi; G. Piovene, Lettere di una novizia; V. Pratolini, Il tappeto verde. All'estero escono: F. O. Matthiessen, Rinascimento americano; F. Werfel, Bernadette.*	invadono Jugoslavia e Grecia. L'Italia dichiara guerra alla Russia. Truppe tedesche varcano i confini russi. Stalin diviene comandante in capo delle forze armate. Assedio di Stalingrado. L'Italia e la Germania dichiarano guerra agli Stati Uniti. I giapponesi attaccano Pearl Harbor.
1944	Ritorna in Italia ed è uno dei leaders contrari al frontismo PSI-PCI. Prima edizione tedesca e italiana di *Ed egli si nascose*.	*In Italia: P. Togliatti fonda la rivista « Rinascita ». Escono: V. Brancati, Il vecchio con gli stivali; G. De Robertis, Saggio sul Leopardi; C. E. Gadda, L'Adalgisa; A. Moravia, Agostino; U. Saba, Ultime cose. All'estero escono: T. Mann, La legge; G. von Le Fort, Il giudizio del mare; W. S. Maugham, Il filo del rasoio.*	Sbarco alleato fra Nettuno e Anzio. Scioperi nell'Italia settentrionale. De Gaulle viene nominato comandante in capo delle forze francesi.
1945	Viene chiamato alla direzione dell'« Avanti! ».	*In Italia: si afferma il neo-realismo; Vittorini fonda « Il Politecnico » a Milano; P. Calamandrei fonda a Firenze « Il Ponte »; R. Bianchi-Bandinelli e C. Luporini fondano a Firenze « Società ». Escono: C. Levi, Cristo si*	Conferenza di Yalta. Fine della guerra con la vittoria alleata.

	Vita di Silone	Avvenimenti culturali	Avvenimenti storici
1945		è fermato a Eboli; C. Malaparte, Kaputt; U. Saba, Il canzoniere (1900-1945); E. Vittorini, Uomini e no. All'estero Jean-Paul Sartre fonda « Les Temps Modernes ». Escono: T. Mann, Nobiltà dello spirito; G. Orwell, La fattoria degli animali; E. M. Remarque, Arco di trionfo; J.-P. Sartre, Le vie della libertà e A porte chiuse; R. Wright, Ragazzo negro.	
1947	Fonda la rivista « Europa Socialista » di cui è direttore.	In Italia escono: A. Gramsci, Lettere dal carcere; M. Luzi, Quaderno gotico; A. Moravia, La romana; V. Pratolini, Cronache di poveri amanti; V. Sereni, Diario di Algeria. Il premio Nobel viene assegnato a A. Gide. Escono: H. Broch, La morte di Virgilio; A. Camus, La peste; K. Jaspers, Della verità; T. Mann, Doktor Faustus; J.-P. Sartre, Che cos'è la letteratura?; T. Williams, Un tram che si chiama desiderio.	Piano Marshall per la ricostruzione economica. In Italia quarto ministero De Gasperi. Politica di austerity in Inghilterra. Nasce il Kominform. Formazione di governi socialisti nei paesi dell'Est.
1949	Fondazione del PSU, dopo la scissione di	In Italia escono: V. Brancati, Il bell'An-	Attentato contro Togliatti.

	Vita di Silone	Avvenimenti culturali	Avvenimenti storici
1949	Palazzo Barberini del gennaio 1947. Silone interviene ai vari congressi di scrittori; passa di delusione in delusione e alla fine accetta di essere solo « cristiano senza chiesa e socialista senza partito », cessando ogni milizia di politica istituzionale.	tonio; *C. Cassola*, Il taglio del bosco; *A. Gatto*, Il capo sulla neve; *A. Gramsci*, Note sul Machiavelli; *C. Pavese*, Prima che il gallo canti *e* La bella estate; *S. Quasimodo*, La vita non è sogno. *All'estero escono: T. Adorno*, Filosofia della musica moderna; *B. Brecht*, Madre Coraggio e i suoi figli; *K. Jaspers*, Origine e meta della storia; *A. Miller*, Morte di un commesso viaggiatore.	Assassinio di Gandhi. Luigi Einaudi viene eletto presidente della Repubblica italiana. Inizio della guerra tra arabi e israeliani.
1950	Viene fondato il movimento internazionale filo-americano Per la Libertà della Cultura. Silone fonda e dirige la sezione italiana dell'associazione e la rivista « Tempo Presente ».	*In Italia escono: A. Gramsci*, Letteratura e vita nazionale; *F. Jovine*, Le terre del Sacramento; *C. Pavese*, La luna e i falò; *G. Ungaretti*, La terra promessa; *C. Alvaro*, Quasi una vita. *All'estero escono: G. Greene*, Il terzo uomo; *E. Ionesco*, La cantatrice calva; *C. G. Jung*, Formazioni dell'inconscio; *P. Neruda*, Canto generale; *D. Riesman*, La folla solitaria; *A. Schönberg*, Stile e idea; *S. Weil*, Attesa di Dio.	Ho Chi-minh preside il governo del Vietnam. Accordo Cina-URSS. Truman dà ordine di fabbricare la bomba H. Inizio della guerra di Corea. In Italia agitazione contadina nella valle del Po.

Vita di Silone	*Avvenimenti culturali*	*Avvenimenti storici*
1952 Viene pubblicato *Una manciata di more*.	*In Italia escono: a cura di G. Pirelli e P. Malvezzi*, Lettere di condannati a morte della Resistenza italiana *seguito dal successivo* Lettere di condannati a morte della Resistenza europea; *I. Calvino*, Il visconte dimezzato; *D. Campana*, Canti orfici; *C. Pavese*, Il mestiere di vivere; *M. Tobino*, Il deserto della Libia. *All'estero escono: E. Hemingway*, Il vecchio e il mare; *A. L. Huxley*, I diavoli di Loudun; *C. G. Jung*, Risposta a Giobbe; *F. Kafka*, Lettere a Milena; *M. Proust*, Jean Santeuil (*postumo*); *J.-P. Sartre*, Saint-Genêt, commediante e martire; *J. Steinbeck*, La valle dell'Eden.	Nasce la CECA (Comunità Europea Carbone e Acciaio). Sale al trono inglese Elisabetta II. Naguib prende il potere in Egitto.
1956 Esce *Il segreto di Luca*.	*In Italia escono: G. Bassani*, Cinque storie ferraresi; *E. Montale*, La bufera e altro; *V. Pratolini*, Diario sentimentale; *S. Quasimodo*, Il falso e vero verde; *E. Vittorini*, Erica e i suoi fratelli - La garibaldina. *All'estero escono: A. Camus*, La caduta;	XX Congresso del PCUS con denuncia dei crimini di Stalin. Insurrezione ungherese domata dalle truppe russe. Nasser nazionalizza il canale di Suez, e intervengono gli anglo-francesi.

Vita di Silone	Avvenimenti culturali	Avvenimenti storici
1956	E. O' Neill, Lungo viaggio verso la notte; F. Sagan, Un certo sorriso; J.-P. Sartre, Nekrassov.	
1960 Esce La volpe e le camelie.	Nasce la Comunità Europea degli Scrittori. In Italia escono: C. Cassola, La ragazza di Bube; A. Moravia, La noia; V. Pratolini, Lo scialo; P. P. Pasolini, Passione e ideologia. All'estero escono: S. Freud, Lettere 1873-1939; M. Merleau-Ponty, Segni; J.-P. Sartre, Critica della ragione dialettica.	In Italia il governo Tambroni è eletto con l'appoggio dei voti del MSI: manifestazioni di piazza e caduta del governo stesso. Inizio della crisi russo-cinese. Kennedy presidente degli Stati Uniti.
1965 Viene pubblicato Uscita di sicurezza.	In Italia escono: A. Moravia, L'attenzione; P. Volponi, La macchina mondiale; G. Parise, Il padrone; N. Lisi, La mano del tempo; C. Bernari, Per cause imprecisate; G. Comisso, Busta chiusa.	Guerra indo-pakistana. Inizio dei bombardamenti sul Vietnam del Nord. Chiusura del Concilio Vaticano II.
1968 Esce L'avventura di un povero cristiano.	In Italia escono: B. Fenoglio, Il partigiano Johnny; I. Calvino, Progettazione e letteratura; C. Cassola, Ferrovia locale. Muore Quasimodo.	Contestazione studentesca in Francia e Italia. Gli stati del patto di Varsavia invadono la Cecoslovacchia. Muoiono assassinati M. L. King e R. Kennedy. Nixon viene eletto presidente degli USA.

Vita di Silone	*Avvenimenti culturali*	*Avvenimenti storici*
1978 Ignazio Silone muore a Ginevra il 22 agosto.	*Escono in Italia: F. Camon,* Un altare per la madre; *A. Moravia,* La vita interiore; *L. Sciascia,* L'affaire Moro.	Aldo Moro viene assassinato dalle Brigate Rosse. Sandro Pertini diviene presidente della Repubblica. Alla morte di Paolo VI, dopo un breve pontificato di Giovanni Paolo I, Papa Luciani, sale al soglio pontificio l'Arcivescovo di Cracovia, Karol Wojtyla, col nome di Giovanni Paolo II.
1981 Esce, postumo, *Severina.*	*Escono in Italia: P. Levi,* La ricerca delle radici. Antologia personale; *T. Guerra,* I guardatori della luna.	Attentato a Papa Giovanni Paolo II in Piazza S. Pietro a Roma. Scandalo della loggia massonica P2.

I

LA VITA

La scelta dei compagni

Per la biografia di Ignazio Silone (pseudonimo di Secondo Tranquilli) materiale privilegiato è quello contenuto in *Uscita di sicurezza*, insieme di racconti autobiografici e di testi saggistici; il libro venne pubblicato nel 1965 presso Vallecchi di Firenze ma le sue parti sono variamente datate. Poiché di *Uscita di sicurezza* si farà ampio uso e discussione qui, abbiamo pensato opportuno di non ripeterne la scheda nella rassegna delle opere che viene disposta nel capitolo successivo; in questo modo inoltre – siccome Silone affermava che la sua narrativa aveva il compito soprattutto di portare a chiarezza le sue esperienze di vita le scelte esistenziali, i traumi – l'autobiografia diventa chiave di lettura autentica. Nei racconti e nei saggi di *Uscita di sicurezza*, quindi, è dato cogliere da una parte la riflessione memorialistica di una esperienza di vita e dall'altra la preparazione, i miti centrali, la psicologia, l'ideologia e la tematica dell'immaginario romanzesco.

Ignazio Silone nasce a Pescina dei Marsi, in provincia dell'Aquila, il 1° maggio del 1900, da un piccolo proprietario di terre e da una tessitrice:

« La parte vecchia del nostro paese era tutta addos-

sata alla montagna sormontata dai ruderi di un antico castello, e consisteva in un vasto alveare di
nere casucce di cafoni, molte stalle ricavate nella
roccia, un paio di chiese e qualche palazzo disa-
bitato; ma, negli ultimi tempi, col crescere della
popolazione, il paese si era esteso a valle, ai due
lati del fiume, e la nostra via ne era il principale
prolungamento verso la pianura e verso la conca
del Fucino: una via perciò di traffico intenso e
rumoroso. Non avendo un fondo duro e stabile,
la via cambiava aspetto secondo le stagioni, irre-
golare e insidiosa come il letto d'un torrente, e
somigliava ad una larga strada di campagna per le
sue numerose fosse, piene di fango o di neve nel-
l'inverno e d'accecante polverone in estate. Le
case, per lo più a due piani, che fiancheggiavano
la via, non riuscivano a difendersi dal fango, dalla
polvere, dai rumori; anzi, essendo abitate da un
buon numero di artigiani, vi partecipavano attiva-
mente. Al mattino, al primo chiarore dell'alba,
cominciava per la nostra via la sfilata delle greggi
di capre e di pecore, degli asini, dei muli, delle
vacche, dei carri d'ogni foggia e uso, e dei contadini che trasmigravano verso il piano per i lavori
della giornata; e ogni sera, fino a tardi, in senso
inverso e con i segni ben visibili della fatica,
ripassava la processione degli uomini e degli animali. Nelle ore intermedie la via era occupata,
davanti alle case, dagli artigiani, falegnami calzo-
lai fabbri ramai facocchi bottai tintori, con i loro
attrezzi di lavoro, mentre nel mezzo transitavano
lunghe file di piccoli carretti carichi di "terra
rossa" tirati da muli. La "terra rossa" era estrat-
ta con mezzi assai primitivi da una vecchia e
povera miniera di bauxite scavata in una montagna vicina e veniva portata alla ferrovia. Nessuno,
nel paese, sapeva per quale destinazione. Assai
spesso, nella brutta stagione, uno di quei carretti

sprofondava con una ruota in un fosso dissimu-
lato dal fango, e l'intera colonna della "terra
rossa" si arrestava per delle ore, tra le grida e
le imprecazioni dei carrettieri ».[1]

In questo e negli altri racconti di *Uscita di sicurezza*,
la figura della madre appare appena accennata (suggestiva e fondamentale invece in *Vino e pane*: lo scrittore si descrive bambino, seduto sulla panchetta del
telaio accanto alla madre, per aiutarla a tessere; e la
madre conversa con lui raccontandogli, a mo' di storie,
episodi del vangelo, vite di santi, ecc.); abbastanza ben
delineata la persona del padre, col suo carattere chiuso,
il senso dell'onore, dell'ospitalità, un'istintiva pratica
delle opere di misericordia e la tendenza all'insubordi-
nazione (il padre rimprovera Silone ragazzo perché
questi trova motivo di riso alla vista goffa di un dete-
nuto; rifocilla e ospita in casa sua il postino del paese
che s'era appropriato rimesse di emigranti; rifiuta di
prestarsi a una ipocrita approvazione della candidatura
al senato del principe Torlonia, latifondista del Fucino).
Sempre in *Visita al carcere* appare il personaggio che
fa scattare l'impegno politico di Silone e conseguentemente riempie la sua narrativa: il cafone (è da questa
fenomenologia della povera gente, per aver dato presenza e voce ai disperati della sua terra, dell'Abruzzo,
che la narrativa di Silone deriva oggi la sua parte di
necessità; assai meno convincenti risultando l'impalca-
tura messianica e la debole utopia):

« Lungo la strada veniva lentamente verso di noi
un uomo a cavalcioni di un piccolo asino. Sembrava quasi ch'essi fossero portati dalla nuvoletta
bassa e densa che sollevavano da terra i piedi invi-
sibili della bestia. Gli corsi incontro, gli mostrai la
moneta e gli proposi senz'altro lo scambio, indi-

[1] I. Silone, *Uscita di sicurezza*, Firenze, Vallecchi, 1965, pp. 8-9.

candogli mio padre con i buoi fermi a metà solco.
Era un contadino dall'aspetto molto povero; aveva
indosso pochi stracci sudici, che lasciavano vedere
pezzi del corpo nudi, e calzava delle ciabatte
legate ai piedi da spago ».[2]

Dell'educazione familiare, dell'adolescenza e del costume etico-civile della sua contrada d'origine, Silone
ricorda in questi termini:

« Sono nato e cresciuto in un comune rurale
dell'Abruzzo, in un'epoca in cui il fenomeno che
piú mi impressionò, appena arrivato all'uso della
ragione, era un contrasto stridente, incomprensibile, quasi assurdo, tra la vita privata e familiare,
ch'era, o almeno cosí appariva, prevalentemente
morigerata e onesta, e i rapporti sociali, assai
spesso rozzi odiosi falsi [...]. Badare ai fatti propri, era la condizione fondamentale del vivere
onesto e tranquillo, che ci veniva ribadita in ogni
occasione. L'insegnamento della Chiesa lo confer-
mava. Le virtú raccomandate concernevano esclu-
sivamente la vita intima e familiare ».[3]

Silone racconta alcuni episodi rimastigli impressi nella
memoria: la mancata giustizia resa a una sarta, aggre-
dita dal cane del signorotto locale, l'ipocrisia della
scuola di catechismo, l'intimidazione, la violenza alla
libertà per le elezioni, la doppiezza dell'insegnamento
scolastico, la storia disperata del medico anarchico (questo riassunto per titoli rimanda ovviamente alla lettura
della lunga confessione da cui prende nome il libro,
Uscita di sicurezza appunto). È importante mettere a
fuoco un altro punto, cioè come ogni tanto questo doppio modo di vivere accompagnato da una grande mise-

[2] *Ibid.*, p. 11.
[3] *Ibid.*, p. 63.

ria di fondo esplodesse in sussulti di improvvisa violenza; Silone narra quella che egli chiama « la rivoluzione dei ragazzi », cioè un assalto alla caserma dei
carabinieri per una odiosa prepotenza da loro com-
messa, iniziato dai ragazzi, quindi coinvolgente tutto
il paese e terminato col sacco del luogo di polizia. La
conclusione è amara:

> « Gli animi umiliati e offesi erano capaci di subire
> senza lamentarsi i peggiori soprusi, finché non
> esplodevano in rivolte impreviste [...]. Simili epi-
> sodi di violenza, con l'inevitabile seguito di arresti
> in massa, di processi, di esorbitanti spese giudizia-
> rie, di condanne penali rafforzavano negli animi
> dei contadini, come è facile immaginare, la sfi-
> ducia, la diffidenza, la rassegnazione. Lo Stato
> riacquistava i suoi connotati d'irrimediabile crea-
> zione del diavolo. Un buon cristiano, se vuol sal-
> varsi l'anima, eviti pertanto il piú che sia possi-
> bile ogni contatto con esso. Lo stato è sempre
> ruberia, camorra, privilegio, e non può essere altro.
> Né la legge né la forza possono cambiarlo. Se il
> castigo talvolta lo colpisce, è per disposizione di
> Dio ».[4]

Nel 1915 una grave catastrofe naturale, il terremoto,
uccide i genitori di Silone e conseguentemente lo getta
allo sbaraglio, privo come diviene di legami (il trauma,
di eccezionale gravità, viene inacerbito da episodi di
comportamento ingordo e bestiale che appaiono nei
romanzi: il furto del portafoglio dal corpo della madre
morta ad opera di uno zio e l'uccisione impunita, cui
assiste spettatore casuale, di un suo parente da parte
della moglie); da quest'anno possiamo datare la scelta
definitiva dei compagni e l'inizio dell'impegno politico.
Nel racconto *Polikusc'ka* Silone narra la sua scelta di

[4] *Ibid.*, pp. 71-75.

classe, che era stata preceduta dall'abbandono, dal
rifiuto, anche come abitazione, della società dei ben-
pensanti:

> « Da quando ero rimasto solo, mi ero trasferito
> nel quartiere piú povero e disprezzato del comune,
> costituito da baracche a un solo piano prive dei
> servizi igienici essenziali. Per accedervi bisognava
> passare un fosso che le autorità locali avevano
> chiamato il Tagliamento, dal fiume che in quel-
> l'epoca costituiva la linea del fronte di guerra tra
> l'esercito italiano e quello austriaco. Terra nemica
> dunque. In modo strano l'appellativo fu assai gra-
> dito agli interessati, i quali adottarono ben presto
> alcuni provvedimenti propri di una zona di guerra.
> Per prima cosa, si procedé all'oscuramento not-
> turno, mediante la distruzione a sassate delle lam-
> pade di illuminazione pubblica. Così divenne peri-
> coloso, anche per i carabinieri, avvicinarsi al Ta-
> gliamento durante la notte. I malcapitati erano
> accolti a sassate di invisibile provenienza ».[5]

Si vede immediatamente il punto di partenza della
comunità anarchica di *Il seme sotto la neve*; allo stesso
modo *Polikusc'ka* è un frammento di esperienza, una
nota di costume mitico-politico, una miniera di situazioni narrative che confluiscono soprattutto in *Una
manciata di more*. Silone, dopo il terremoto prende a
frequentare la baracca dove ha sede la lega dei contadini; le suppellettili simboliche sono di tipo mitico-
politico:

> « Affisso su una parete c'era un quadro che raffi-
> gurava Cristo redentore, avvolto in un lungo ca-
> mice rosso e sormontato dalla scritta: *Beati gli
> assetati di giustizia*. Sotto il quadro, appesa a un

[5] *Ibid.*, p. 72.

chiodo, pendeva la tromba che una volta serviva
a convocare le assemblee dei soci, dato che molti
di essi erano analfabeti e non potevano essere
avvertiti con avvisi murali ».[6]

Inizia il suo apprendistato di militante rivoluzionario
come scrivano della lega; conosce Lazzaro, l'uomo buo-
no, il cristiano autentico, incarnazione dei santi cafoni;
Lazzaro pone le assemblee dei contadini poveri sotto
il segno di Cristo, come momento vero di Chiesa
(« Ovunque noi ci riuniamo, Egli ha promesso di stare
con noi – mi spiegò Lazzaro indicando sulla parete
della baracca il Cristo col camice rosso »[7]); non entra
piú nella Chiesa del paese da quando il parroco for-
caiolo l'ha messa al servizio dei proprietari di terra,
facendo squillare le campane a stormo ogni qual volta
si tenesse un discorso del partito socialista. Lazzaro
ritornerà con le stesse connotazioni di schiettezza in *Una
manciata di more*; dove anzi da parte di alcuni suoi
compagni si dirà che se fosse vissuto ai tempi del
Signore sarebbe stato uno degli Apostoli e non l'ultimo. Silone cosí spiega la propria proletarizzazione:

« È accaduto a molti di noi, che una certa dome-
nica cessammo dell'andare a Messa, non perché
i dogmi, all'improvviso, ci apparvero falsi, ma
perché la gente che vi assisteva ci annoiava, mentre ci attirava la compagnia di quelli che ne rima-
nevano lontani [...]. Ciò che definí la nostra rivolta fu la scelta dei compagni. Fuori della chiesa
del nostro borgo c'erano i braccianti. Non era la
loro psicologia che ci attirava, ma la loro condizione. Una volta consumata la scelta, come l'esperienza insegna, lo sviluppo della vicenda di solito
perde ogni originalità. Quasi sempre senza opporre

[6] *Ibid.*, p. 46.
[7] *Ibid.*, p. 49.

resistenza, anzi col fervore ben conosciuto dei neo-
fiti, si accettano il linguaggio i simboli le norme
organizzative la disciplina la tattica il programma
e anche la dottrina del partito dei nuovi compagni ».[8]

Silone continua nelle stesse pagine, circostanziando
la sua scelta di parte, avvenuta prima di conoscere
Marx, Carlo Cattaneo, Rosa Luxemburg, Lenin, Sorel:

« Se in quella remota contrada dell'Italia meridionale le nuove teorie rivoluzionarie sulla missione
storica del proletariato non erano ancora arrivate,
proprio in quegli anni, principalmente per impulso
di lavoratori tornati dalle Americhe, erano sorte le
prime leghe di resistenza dei contadini poveri,
suscitando indicibile paura e sgomento. Non è da
stupire che quell'insolito subbuglio percepito da
un giovane interiormente già disgustato dall'ambiente locale, portasse nel suo animo un profondo
mutamento, e cioè la persuasione che in una società vecchia stanca esaurita annoiata come quella,
i poveri rappresentassero l'estrema risorsa della
vita; una realtà con la quale fosse salutare accom-
pagnarsi. Correvano allora gli ultimi anni di
un'epoca in cui numerosi fatti sembravano con-
fermare la validità del mito della missione liberatrice dei proletari. Il fascino del mito esorbi-
tava di gran lunga gli angusti schemi della politica dei partiti. Il movimento dei lavoratori, nel
suo insieme, appariva agli intellettuali piú sensi-
bili come la grande alternativa popolare alla decadenza ».[9]

Per concludere l'itinerario educativo dell'adolescenza

[8] *Ibid.*, p. 139.
[9] *Ibid.*, p. 141.

e della prima giovinezza, dobbiamo portare in primo piano l'incontro con don Orione (*Incontro con uno strano prete*), una figura paterna che impressiona lo scrittore in modo determinante e funziona come base memoriale alle rappresentazioni di preti positivi, strani agli occhi del mondo, liberi nei confronti dell'istituzione, cosí importanti nella sua narrativa (da don Benedetto a don Luca; senza contare che il portavoce dello scrittore, Pietro Spina, si traveste emblematicamente da prete per continuare il suo lavoro cospirativo).

La prima grave scelta di rottura con la classe dominante, con le possibili complicità magari anche solo di silenzio, avviene nel 1917 con l'invio di tre articoli all'« Avanti! » per denunciare le malversazioni della ricostruzione dopo il terremoto e da qui in poi ha inizio la sua intensa attività di politico sovversivo, rivoluzionario. Viene cooptato come segretario regionale della federazione dei lavoratori della terra; viene processato e imprigionato per aver capeggiato una violenta manifestazione contro la guerra; si trasferisce a Roma, diventa segretario della gioventú socialista, viene eletto direttore del settimanale « L'Avanguardia », organo della gioventú socialista.

C'è una pagina di *Uscita di sicurezza* che mostra tutta l'intima drammaticità della scelta intrapresa:

« Mi rendevo conto che l'adesione al partito della rivoluzione proletaria non era da confondere con la semplice iscrizione a un qualsiasi partito politico. Per me, come per molti altri, era una conversione, un impegno integrale, che implicava un certo modo di pensare e un certo modo di vivere. Erano ancora i tempi in cui il dichiararsi socialista o comunista equivaleva a gettarsi allo sbaraglio, rompere con i propri parenti e amici, non trovare impiego. Le conseguenze materiali furono dunque deleterie e le difficoltà dell'adattamento spirituale non meno dolorose. Il proprio mondo

interno, il "medioevo" ereditato e radicato nel-
l'anima, e da cui, in ultima analisi, derivava lo
stesso iniziale impulso della rivolta, ne fu scosso
fin nelle fondamenta, come da un terremoto. Nel-
l'intimo della coscienza tutto venne messo in discussione, tutto diventò un problema. Fu nel momento della rottura che sentii quanto fossi legato
a Cristo in tutte le fibre dell'essere. Non ammet-
tevo però restrizioni mentali. La piccola lampada
tenuta accesa davanti al tabernacolo delle intui-
zioni piú care fu spenta da una gelida ventata.
La vita, la morte, l'amore, il bene, il male, il vero
cambiarono senso, o lo perderono interamente.
Tuttavia sembrava facile sfidare i pericoli non
essendo piú solo nell'azione. Ma chi racconterà
l'intimo sgomento, per un ragazzo di provincia,
mal nutrito, in una squallida cameretta di città,
della definitiva rinuncia alla fede nell'immortalità
dell'anima? Era troppo grave per poterne discor-
rere con chicchessia; i compagni di partito vi
avrebbero forse trovato motivi di derisione, e gli
altri amici non v'erano piú. Cosí, all'insaputa di
tutti, il mondo cambiò aspetto ».[10]

Uscita di sicurezza

A questo periodo della vita di Silone può ben introdurre una poesia di Bertolt Brecht (che tra l'altro gli
fu amico), *A coloro che verranno*:

« Nelle città venni al tempo del disordine, /
quando la fame regnava. / Tra gli uomini venni
al tempo delle rivolte / e mi ribellai insieme a
loro. / Cosí il tempo passò / che sulla terra m'era
stato dato. / Il mio pane, lo mangiai tra le bat-

---

[10] *Ibid.*, p. 81.

taglie. / Per dormire mi stesi in mezzo agli assas-
sini. / Feci all'amore senza badarci / e la natura
la guardai con impazienza. / Cosí il tempo passò /
Che sulla terra m'era stato dato. / Al mio tempo,
le strade si perdevano nella palude. / La parola
mi tradiva al carnefice. / Poco era in mio potere.
Ma i potenti / posavano piú sicuri senza di me;
o lo speravo. / Cosí il tempo passò che sulla terra
m'era stato dato. / Le forze erano misere. La
meta / era molto remota. / La si poteva scorgere
chiaramente, seppure anche per me / quasi inat-
tingibile. / Cosí il tempo passò / che sulla terra
m'era stato dato. / Andammo noi, piú spesso
cambiando paese che scarpe, / attraverso le guerre
di classe, disperati / quando solo ingiustizia c'era,
e nessuna rivolta ».[11]

Dal '21 al '31 Silone vive al calor bianco e consuma
la sua esperienza di militante comunista; ma vediamone
cronologicamente le tappe di rilievo: nel 1921 ade-
risce al PCI con la maggioranza della gioventú socialista; nel 1922 è redattore presso « Il Lavoratore » di
Trieste, entra poi nella clandestinità in seguito alle per-
secuzioni fasciste; nel 1922-'23 compie missioni di partito in Germania, in Spagna, in Francia; nel 1925 si
occupa in Italia dell'ufficio stampa del Partito con
Gramsci; nel 1926 con le leggi speciali vengono sciolti
tutti i partiti politici e viene soppressa ogni stampa di
opposizione; sono imprigionati Gramsci, Terracini, Bor-
diga e numerosi altri dirigenti; Togliatti assume la direzione del Centro estero del PCI, mentre a Silone viene
affidata la segreteria del Centro interno; nel 1927 e '28
partecipa ai lavori del Komintern e si stabilisce poi in
Svizzera, malato, ritirandosi praticamente a vita privata;
nel 1930 con una delle tante purghe per deviazionismo
o trotzkismo vengono espulsi dal PCI tre dirigenti fon-

---

[11] *Poesie e canzoni*, Torino, Einaudi, 1961, pp. 97-99.

datori: Tresso, Leonetti, Ravazzoli; nel 1931 c'è la sua
rottura definitiva col Partito comunista.

Possiamo seguire dall'interno la storia, il resoconto
addirittura dei motivi che, acquistando sempre maggior
rilievo, causarono l'uscita di Silone dal PCI, fino a
fargli chiamare la sua milizia comunista « lunga e triste
avventura », « gusto di cenere di una gioventú sciu-
pata »; e possiamo capire la gravità della rottura pari
alla drammaticità della scelta (che abbiamo documentato nel paragrafo *La scelta dei compagni*):

> « La verità è questa: l'uscita dal Partito comu-
> nista fu per me una data assai triste, un grave
> lutto, il lutto della mia gioventú. E io vengo da
> una contrada in cui il lutto si porta piú a lungo
> che altrove. Non ci si libera facilmente, l'ho già
> detto, da un'esperienza cosí intensa come quella
> dell'organizzazione comunista. Di essa resta sem-
> pre qualcosa che marca il carattere per il resto
> della vita [...]; gli ex-comunisti [...] costituiscono
> una categoria a parte, come gli ex-preti e gli ex-
> ufficiali di carriera ».[12]

Ecco di seguito gli elementi del distacco:

> « Ciò che mi colpí nei comunisti russi, anche in
> personalità veramente eccezionali come Lenin e
> Trotzkij, era l'assoluta incapacità di discutere leal-
> mente le opinioni contrarie alle proprie. Il dis-
> senziente, per il semplice fatto che osava contrad-
> dire, era senz'altro un opportunista, se non addi-
> rittura un traditore e un venduto. Un avversario
> in buona fede sembrava per i comunisti russi in-
> concepibile ».[13]

---

[12] *Uscita di sicurezza*, cit., p. 72.
[13] *Ibid.*, pp. 83-84.

Silone rammenta la diversa accezione del concetto di
libertà per i comunisti occidentali e i comunisti russi;
il culto totemico, mummificato per Lenin; l'ambiguità
e l'elusività degli alti dirigenti sovietici; il metodo costante della doppia verità dell'Internazionale:

> « Fenomeni di doppiezza e demoralizzazione [...],
> atmosfera sempre piú pesante di intrighi e im-
> brogli [...]. Il Partito comunista russo, che aveva
> soppresso tutti i partiti concorrenti e abolito ogni
> possibilità di discussione di politica generale nelle
> assemblee sovietiche, cadde esso stesso sotto un
> regime di eccezione: la volontà politica dei suoi
> iscritti venne rapidamente sostituita da quella del-
> l'apparato. Da quel momento ogni divergenza di
> opinione col gruppo dirigente era destinata a con-
> cludersi con l'annientamento fisico della mino-
> ranza da parte dello stato ».[14]

I momenti di piú acuta sofferenza per Silone, di intol-
lerabilità, furono i prodromi dello stalinismo: la burocratizzazione e la formalizzazione delle assemblee (dove
qualsiasi risoluzione presentata dal PCUS e per esso da
Stalin doveva comunque passare, magari senza essere
stata discussa o addirittura senza una precisa conoscenza di essa); la politica di vertice dell'Internazionale, del tutto astratta dalle varie realtà nazionali; la
persecuzione brutale degli avversari (Trotzkij e Zino-
viev in Russia; Angelo Tasca, Tresso, Leonetti, Ravazzoli nel PCI); infine la collettivizzazione forzata della
piccola e media proprietà agricola, « vera guerra babilo-
nica contro i contadini: sei o sette milioni di persone
scacciate, deportate o uccise ».
Silone adotta una tattica di silenzio e di attesa distin-
guendo tra la degenerazione moscovita e le realtà di
altri socialismi europei:

---

[14] *Ibid.*, p. 89.

« quelle doti di generosità franchezza solidarietà
spregiudicatezza che nell'operaio di fabbrica e nel
contadino francese, svizzero, italiano erano la
genuina e tradizionale risorsa del socialismo in
lotta contro la decadenza e la dissipazione bor-
ghese ».[15]

La tattica dell'attesa ha anche motivi di carattere
familiare:

« Da piú di due anni (dall'aprile del 1928) un mio
fratello piú giovane, l'ultimo che mi restava, era
in carcere, in Italia, imputato di appartenenza al
Partito comunista illegale. Al momento dell'arresto egli era stato cosí duramente torturato da rice-
verne permanenti e atroci lesioni interne; e dovette
attendere fino al 1932, nel penitenziario di Pro-
cida, la morte che ponesse fine al suo martirio ».[16]

Comunque nel 1931, come già anticipato, Silone
rompe col Partito su argomenti tutto sommato secon-
dari, punte però emergenti di un ormai totale dissenso.
Inizia la vita del « senza partito », a turno perseguitato
e calunniato da fascisti e comunisti e inizia anche la
sua attività di scrittore: *Fontamara* esce infatti nel '33.
Anche per questo celeberrimo romanzo si può stabilire
un rapporto di analogia con Brecht, con la poesia *La letteratura sarà esaminata*:

« Ma sarà data allora lode a coloro / che sulla
nuda terra si posero per scrivere / che si posero
in mezzo a chi era in basso / che si posero a
fianco di chi lottava / che dettero notizia delle
pene di chi era in basso / che dettero notizia
delle gesta di chi lottava, / con arte, nel nobile

[15] *Ibid.*, p. 101.
[16] *Ibid.*, p. 109.

linguaggio / innanzi riservato / alle glorie dei re.
/ Le loro descrizioni di realtà desolate, gli ap-
pelli, / ancora recheranno le impronte del pol-
lice / di chi era in basso. Perché ad essi / furono
consegnati quegli scritti, essi / sotto la camicia
sudata li portarono avanti / attraverso i cordoni
degli agenti / fino ai loro simili ».[17]

Il comportamento di Brecht nei confronti dello stalinismo fu diverso e il poeta lo adombra in una poesia
dove parla del grosso bue prezioso, ben nutrito e
tenuto al caldo della stalla, mentre i contadini vivono
all'aperto, esposti al freddo e alle intemperie; eppure
il bue che è cosí esigente, assorbente è l'unica ricchezza
e speranza in quella circostanza. La metafora bestiaria
trasmette forse anche un messaggio involontario oppo-
sto a quello volontario; lo stesso Brecht comunque ebbe
amici vittime dello stalinismo ed ottenne personalmente
pessima stampa in URSS.

La situazione degli ex

Silone, a differenza di altri espulsi o eretici, non ade-
risce ad alcuna frazione organizzata; la sua vita si
orienta attorno a tre nuclei: 1) L'attività culturale in
senso lato (dal 1931 al '33 fonda e dirige la rivista in
lingua tedesca « Information »; collabora alla fondazione di « Le Nuove Edizioni di Capolago » per la pubblicazione di testi degli emigrati). 2) L'attività letteraria. Nel 1936 pubblica *Vino e pane*; nel 1938 *La scuola
dei dittatori*; nel 1941 *Il seme sotto la neve*. 3) Un impegno di « socialista senza partito e cristiano senza
chiesa » come dirà poi lui stesso, di aperte polemiche
contro il nazi-fascismo e lo stalinismo e che vedrà
quindi il ritorno alla milizia politica attiva dal '39 al

[17] *Poesie e canzoni*, cit., p. 166.

'44 come dirigente del Centro estero socialista traspor-
tato a Zurigo. A documentare il pensiero maturatosi
in questi anni duri in cui lo scrittore fu anche ricoverato in sanatorio e poi internato in campo profughi,
per aver svolto attività politica non permessa, riportiamo per intero un documento pubblicato sul perio-
dico « L'Avvenire dei Lavoratori » (emanazione del
sopra ricordato Centro estero socialista) nel 1944; questo documento nel suo impasto tipico di generosità e
genericità, di idee contemporaneamente grandi e facili,
talmente al di sopra dei problemi, da risultare non
incidenti, è un buon compendio del Silone post-comu-
nista e un'introduzione allo stile di Silone, una volta
tornato in Italia. Ecco il testo:

« 1. I socialisti italiani affermano che l'attuale
guerra, oltre a essere, come quella del 1914-18,
una guerra imperialistica e capitalista per l'acca-
parramento delle materie prime e dei mercati,
comporta conseguenze gravissime per il regime
interno d'ogni paese e dal suo esito dipenderà
in parte notevole la futura situazione dell'umanità
e in ispecie delle classi lavoratrici.

2. L'atteggiamento dei socialisti italiani verso l'attuale guerra è perciò determinato dalla loro posizione antifascista e dal loro fermo convincimento
che le libertà democratiche costituiscono premesse
molto utili per ogni ulteriore progresso dell'umanità.

3. Il fronte decisivo sul quale il fascismo può
essere arginato e distrutto è il fronte interno di
ogni paese. Solo su questo « Terzo fronte » potranno essere risolti i problemi sociali e politici
dai quali il fascismo è sorto. L'unico avversario
capace di battere il fascismo sul terzo fronte è il
socialismo. La disfatta militare delle potenze fasciste deve essere considerata come un preludio

delle lotte decisive che si svolgeranno sul terzo fronte.

4. Il carattere democratico delle potenze attualmente in guerra contro gli Stati fascisti non è omogeneo né inalterabile. Lo stato di guerra, specialmente se prolungato, può modificare in senso totalitario anche la struttura interna degli Stati democratici. I socialisti italiani sono perciò decisi a salvaguardare in ogni momento la libertà di critica e la loro autonomia anche verso i governi democratici. La politica dei socialisti italiani si ispira unicamente agli interessi e agli ideali della classe lavoratrice italiana ed internazionale.

5. La rivendicazione fondamentale per il futuro assetto dell'Europa e del mondo, è che l'organizzazione politica sia adeguata al reale sviluppo dei rapporti tra i popoli. Per ciò che riguarda l'Europa la prima conseguenza di questa rivendicazione è che all'unità reale della società europea debba corrispondere un'unificazione politica. Il vecchio e reazionario sistema delle sovranità nazionali dovrà essere distrutto.

6. I socialisti italiani considerano come foriero di nuove guerre un ordine politico europeo il quale si basi su una ripartizione di zone di influenza tra gli Stati democratici vincitori, come pure la continuazione dell'antica e deprecata politica dell'equilibrio. La tradizionale politica estera della Italia, oscillante tra i due blocchi di potenze che si disputavano l'egemonia europea, dovrà essere abbandonata.

7. La Federazione europea non dovrà essere una unione limitata e sempre pericolante di Stati sovrani, ma un'integrazione di popoli liberi presso i quali le associazioni dirette dei produttori abbiano riassorbito una buona parte delle funzioni

ora monopolizzate dal grande capitale e dalla burocrazia statale.

8. Un'unione europea sulla base degli esistenti rapporti capitalistici avrebbe come risultato la tirannia della finanza e dell'industria pesante sull'insieme del continente. La libertà politica e l'autogoverno dei popoli che parteciperanno alla Federazione europea potranno essere garantite solo dalla socializzazione delle leve economiche fondamentali. Gli interessi economici legati ai sistemi autarchici dovranno essere distrutti.

9. Un sistema di organizzazione politica ed europea ispirato da sentimenti di odio e vendetta verso i singoli popoli sarà di breve durata e causa di future guerre.

10. La delimitazione delle frontiere europee non dovrà essere regolata secondo i bisogni di sicurezza militare degli Stati vincitori. Potrà essere duratura e rispettata come giusta solo una pace la quale riconosca il diritto all'autogoverno locale anche ai piccoli popoli nel quadro della Federazione europea.

11. I socialisti italiani riaffermano più che mai la loro avversione alla dominazione politica ed economica dei paesi europei sui popoli di colore. La Federazione europea non potrà accettare l'imperialismo come eredità della vecchia Europa.

12. L'Italia socialista è particolarmente interessata alla liberazione dei popoli dell'Africa del Nord. Essi sono maturi per l'autonomia. Quelli di essi che avranno ancora bisogno di un'assistenza da parte di popoli più progrediti, non la riceveranno dai militari o dai banchieri, ma dalle associazioni dei lavoratori, dei tecnici e degli intellettuali dell'Europa libera.

13. I socialisti italiani propongono l'organizzazione di una federazione dei partiti socialisti di

Europa su basi interamente diverse dalla vecchia
Internazionale operaia socialista ».[18]

La pena del ritorno

Nel 1944 Silone rientra in Italia ed è uno dei leader
contrari alla fusione PSI-PCI; nel periodo '45-'46 dirige
l'« Avanti! »; nel '47, al momento della scissione di
Palazzo Barberini, assume una posizione autonoma inter-
media tra Nenni e Saragat; nel '49 fonda il PSU, una
specie di costituente per l'unione su nuove basi di tutte
le forze socialiste; quando il tentativo fallisce, Silone si
ritira definitivamente dalla politica militante (ma, pare
di poter osservare, Silone, in realtà, non ha mai avuto il
taglio specifico del politico e inoltre tutta la sua attività
dalla Liberazione in poi, in Italia, ha uno smalto e un
significato piuttosto inferiori alla sua opera dell'esilio).
L'ultima fase della biografia di Silone lo vede muo-
versi soprattutto come intellettuale libero, sociologo,
saggista di costume, polemista politico (con risultati
sostanzialmente mediocri: si leggano i suoi interventi su
« Tempo Presente » cosí regolarmente sbiaditi, quando
non tetri e quell'ambizioso saggio di *Uscita di sicurezza*,
Ripensare il progresso, cosí intriso di moralismo cor-
rivo e cosí privo di reale profondità; allo stesso modo
scolorite le note di taccuino pubblicate con regolarità
sull'ultima serie della « Fiera Letteraria » da lui con-
diretta assieme a Diego Fabbri); da non tacere l'involuzione conservatrice, il lento ma continuo spostamento
a destra, di cui ci pare uno tra i tanti indici significativi il testo di un'intervista da lui concessa alla rivista
« Panorama », nel '72, prima delle elezioni: Silone esprime il timore che la sinistra (!) democristiana e in particolare l'on. Donat-Cattin rappresentino un cavallo di
Troia per l'apertura del potere al PCI. L'evento è paven-
tato da Silone come catastrofico.

[18] A. Garosci, *Storia dei fuorisciti*, Bari, Laterza, 1953.

Il dopoguerra europeo è notoriamente buio, c'è la
spaccatura dei campi, la guerra fredda che ha i suoi
episodi acuti nel blocco di Berlino, nell'insurrezione di
Potsdam, nella profonda inquietudine dei paesi dell'Est
socialista col culmine dei fatti d'Ungheria; a distanza
possiamo prendere le misure dall'opportunismo e dalla
Realpolitik di ambedue i contendenti; Silone invece
prende parte, si lascia invischiare dallo spirito di cro-
ciata, entra nella trincea dell'anticomunismo con insistenza generosa ma monotona e monocorde, e anche
con una certa dose di ingenuità che lo mette in compagnia ambigua, come vedremo poi. Trascurando i numerosi incontri internazionali di scrittori, i vari tentativi di dialogo tra Est e Ovest, che ci appaiono prospet-
ticamente kafkiani, nella loro pregiudiziale reciproca
volontà di non capirsi e di non comunicare, il maggior
impegno di Silone, a partire dagli anni '50, fu nel fon-
dare e dirigere la sezione italiana del movimento internazionale filo-americano Per la Libertà della Cultura.
Silone fonda e dirige la sezione italiana dell'associazione, « raggruppamento eclettico[19] unito per difendere
le regole del gioco contro ogni manomissione totalitaria » (iniziative consimili richiamano subito alla mente
il Riarmo morale, i Comitati civici di Luigi Gedda, le
allocuzioni di Pio XII; dalla parte opposta, è appena
il caso di dirlo, il monolitismo staliniano del PCI,
affatto privo di componenti critiche e autocritiche).

Emanazione dell'Associazione fu la rivista « Tempo
Presente » durata dal '56 al '68; questa è la *manchette*
redazionale della rivista: « È una rivista internazionale
di informazione e discussione fondata sul principio
della libertà di critica. Essa intende promuovere il riesame dei modi di pensare correnti mettendoli a confronto con la realtà del mondo attuale ».

[19] Si tenga presente, per qualsiasi ampliamento bio-bibliografico, l'esauriente ricerca di Luce d'Eramo, *I. Silone. Studio bio-
grafico-critico*, Milano, Mondadori, 1972.

La rivista, riletta oggi, ci presenta il seguente quadro:
1) una linea tenuta di discorso e di polemica, documenti,
testimonianze anticomuniste da un numero all'altro;
2) per il resto un insieme, non organico e unitario, di
varia cultura (letteratura; psicanalisi; racconti e poesie;
recensioni ecc.); 3) praticamente in ogni numero note di
Silone, qualche inedito, anticipazioni di testi in via di
pubblicazione e editoriali del condirettore N. Chiaromonte.

Le cose piú valide restano, della prima · sezione,
alcuni documenti, tra i quali particolarmente impressionante un resoconto dell'Assemblea degli scrittori sovietici sul caso Pasternak; della seconda sezione la pubblicazione di inediti di rara qualità di Andrea Caffi,
emigrato legato agli ambienti del Pd'A e del PSI; della
terza note autobiografiche di Silone che arricchiscono
in margine cose già note.

Oltre all'innegabile valore di solidarietà verso i dissidenti, naturalmente: in molti casi « Tempo Presente »
fu l'unico spazio di espressione dei perseguitati, al di
là di quella che allora veniva chiamata la « cortina di
ferro ». Sopra si è parlato di ingenuità e di compagnia
ambigua. Ci limitiamo a riportare di seguito una pagina
di Luce d'Eramo:

« Nel corso del '66-'68 sulla stampa americana e
da lí sulla stampa europea, sono apparse rivelazioni comprovanti che varie fondazioni, impegnate
nel sostenere un certo numero di imprese culturali
in Europa come l'associazione Per la Libertà della
Cultura, non disdegnavano di ricevere a loro volta
sussidi dalla CIA. Le riviste che ne avevano bene-
ficiato dichiararono che, se ciò era vero, era avvenuto però a loro insaputa. Per quanto concerne
in particolare "Tempo Presente", questo perio-
dico ha criticato a piú riprese gli Stati Uniti con-
ducendo una ferma campagna contro il maccar-
tismo, denunciando vigorosamente l'aggressione

del Vietnam, attaccando le discriminazioni razziali, stigmatizzando di volta in volta le manifestazioni di imperialismo americano anche nei confronti dell'America latina. Per concludere, "Tempo Presente" ha cessato le pubblicazioni per mancanza di fondi [...]. Si ricordi che nel periodo in cui fu fondato il movimento Per la Libertà della Cultura fu vietato a Silone il visto di accesso negli Stati Uniti, né gli venne concesso negli anni seguenti, proprio per la posizione antimaccartista dello scrittore ».[20]

Nel « congedo » della rivista si afferma invece:

« Fondato nell'aprile 1956, "Tempo Presente" ha raggiunto i tredici anni di vita, durante i quali è rimasto fedele al programma iniziale di informare e discutere liberamente i problemi politici e culturali del mondo contemporaneo fuori da ogni pregiudizio ideologico o nazionalistico. Questa rivista ha potuto essere pubblicata grazie all'aiuto finanziario dell'associazione internazionale Per la Libertà della Cultura e della Fondazione Ford. All'editore De Luca la rivista deve riconoscenza per il sostegno materiale e la collaborazione costante dati con spirito di vera amicizia. Durante tutti questi anni abbiamo fatto vari tentativi per trovare un editore dotato di una larga rete di distribuzione il quale volesse assumersi l'onere della rivista. Tali tentativi sono risultati vani. Abbiamo dovuto constatare per conto nostro un fatto ormai noto per vicende di altre pubblicazioni, e cioè che la situazione dell'editoria italiana è tale che un editore non ha interesse a occuparsi di periodici i quali non promettano una diffusione di massa. A parte questa, non esiste in

[20] Ibid., pp. 538-40 (in nota).

Italia per una rivista di cultura altra alternativa,
salvo quella di essere tutelata o da un partito politico o da un ente economico. Cosí stando le cose,
ci troviamo costretti a sospendere le pubblicazioni ».[21]

Durante la vita della rivista Silone continua il
lavoro narrativo: nel 1952 esce *Una manciata di more*;
nel 1956 *Il segreto di Luca*; nel 1960 *La volpe e le
camelie*; nel 1965 *Uscita di sicurezza*: tutte opere di
successo, in alcuni casi clamoroso.

L'ultima opera dello scrittore è *L'avventura di un
povero cristiano* del '68; Silone – come già accennato –
ha condiretto la piú recente serie de « La Fiera Letteraria ». Dati i rigurgiti di fascismo e i fenomeni della
contestazione giovanile è stato spesso intervistato da
giornali e riviste. Lo scrittore si è spento a Ginevra il
21 agosto 1978.

Per una conclusione riassuntiva è da dire che l'esperienza esistenziale di Silone rimane importante per
quando si vorrà scrivere – e qui usiamo un'immagine pregnante, rilanciata da Giacomo Debenedetti –
la biografia del secolo; Silone rappresenterà il viaggio
verso il comunismo e ritorno, quel movimento di sistole
e diastole, di attrazione e repulsione che ha interes-
sato tanti intellettuali del Novecento (come cariche
attirate da un polo magnetico, il quale lentamente e
mostruosamente pare mutare il suo segno iniziale posi-
tivo e provoca cosí massicci fenomeni di rigetto). Abbiamo però anche cercato di mostrare altre vie, accanto
a quella di Silone, con diverso sbocco: particolarmente
significativo e, a nostro parere, piú dialettico il comportamento di Bertolt Brecht.[22]

---

[21] « Tempo Presente », dic. 1968.
[22] Indichiamo un libro di testimonianze per questo capitolo
di storia della cultura europea: L. Fischer - A. Gide - A. Koestler
I. Silone - S. Spender - R. Wright, *Testimonianze sul comu-*

Si deve aggiungere – quasi a mo' di prefazione alla
lettura delle opere – che in questa prospettiva di
biografia del secolo cade, come falso, il problema
su Silone grande scrittore o mediocre scrittore o addirittura non scrittore; le sue opere vengono soprattutto
a interessarci come capitoli di un'autobiografia esemplare, come una sequenza di diari in pubblico, vitto-
rinianamente. D'altra parte, l'interpretazione è autoriz-
zata dallo stesso scrittore che nella conclusione di *La
situazione degli ex*, in *Uscita di sicurezza*, paragona
sé e i suoi compagni di destino a un gruppo di profughi, accampati sotto un cielo senza stelle, i quali si
raccontano sempre le stesse storie per capire gli avvenimenti delle loro vite.

Un'altra utile indicazione: è raccomandabile non av-
vicinarsi a Silone con una enfatizzazione che egli stesso
sarebbe stato il primo a rifiutare, come a una specie
di santone laico (immagine messa in circolazione, tra
gli altri, da Luigi Barzini jr. nella presentazione a una
recente nuova edizione americana di *Vino e pane*);
cosí pure, a nostro parere, dei suoi romanzi va messo
in rilievo l'aspetto documentario, di contributo, attraverso strumenti letterari, alla questione meridionale
(spostando invece sul fondo, solo come elemento con-
nettivo, quella che i vecchi manuali di storia letteraria
potrebbero chiamare « la filosofia dell'autore »). Un
contributo che si colloca accanto ai ben noti *Conversazione in Sicilia*, di Elio Vittorini; *Gente in Aspromonte*,
di Corrado Alvaro; *Cristo si è fermato a Eboli*, di Carlo
Levi; *Le parrocchie di Regalpetra*, di Leonardo Scia-
scia; *Vento nell'uliveto*, di F. Seminara; *Signora Ava* e
Le terre del Sacramento, di Francesco Jovine; *L'uva
puttanella*, di Rocco Scotellaro.

nismo (Il Dio che è fallito), Milano, Edizioni di Comunità,
1950.

II

LE OPERE

Fontamara

Fontamara è uno dei casi editoriali piú clamorosi del '900 e forse il romanzo italiano moderno piú tradotto nelle maggiori (e anche minori) lingue straniere; l'autore è il nostro scrittore contemporaneo piú celebre all'estero. È noto che *Fontamara* (come gli altri romanzi dell'esilio: *Vino e pane, Il seme sotto la neve*) apparve la prima volta in lingua tedesca:

« *Fontamara* apparve la prima volta nell'edizione svizzera, a spese dell'autore, sostenuto da 800 sottoscrizioni, traduzione tedesca di Nettie Sutro, Verlag Oprecht und Helbing (commissionario che firma come editore), Zurigo 1933 [...]. La stessa traduzione fu ristampata a parte per i soci della ghilda Universum Bücherei di Basilea nel 1934, ed ebbe anche diffusione clandestina in Germania. Inoltre il romanzo, nella medesima versione, apparve a puntate in quattordici quotidiani e periodici svizzeri in lingua tedesca nel corso degli anni 1934-1935. Anche la diaspora dei profughi che, prima dalla Germania e poi dagli altri paesi dell'Europa centrale, transitavano per la Svizzera, diretti verso i piú svariati e lontani paesi, contribuí probabilmente alla rapida diffusione di *Fontamara* nel mondo. Era un momento di stasi nell'editoria tedesca e l'attività degli editori svizzeri, che doveva in seguito svilupparsi col durare del nazismo, era allora ancora limitata a una produzione d'interesse cantonale. Molti di questi profughi, nel proseguire il viaggio per altre terre, portavano con sé *Fontamara*, e dall'Olanda, dall'Inghilterra, dall'Argentina, ecc., fecero pervenire all'autore lettere e richieste di traduzione [...]. In lingua originale l'autore dovette stampare il romanzo a proprie spese, presso una piccola tipografia di emigrati italiani a Parigi, dove apparve nel 1934, presso le Nuove Edizioni Italiane (la denominazione editoriale era fittizia) ».[1]

Rientrato in Italia, a Liberazione avvenuta, dopo due edizioni di poco rilievo (a puntate nel 1945 sul settimanale di E. Buonaiuti, « Il Risveglio », e nel 1947 presso la casa editrice Faro di Roma), Silone pubblica con Mondadori (Milano, 1949), l'edizione italiana definitiva, drasticamente riveduta, quella oggi comunemente corrente; e la fortuna del romanzo continua.

Fontamara è la storia di un paese della Marsica, ricostruito coi materiali memorialistici dell'infanzia e della prima giovinezza abruzzesi dell'autore, che diventa storia di un paese – simbolo dell'universo contadino: dei « contadini poveri, gli uomini che fanno fruttificare la terra e soffrono la fame, i fellahin i coolies i peones i mugik i cafoni [che] sono, sulla faccia della terra, nazione a sé, razza a sé ».[2] L'*Introduzione* ha una precisa funzione documentaria, in quanto esprime e addensa i temi che verranno svolti nel racconto attorno al nucleo centrale della lotta fra cafoni e borghesi. Oltre a rimuovere decisamente ogni equivoco di falso folklore:

« Questo racconto apparirà al lettore straniero, che lo leggerà per primo, in stridente contrasto con la immagine pittoresca che dell'Italia meri-

---

[1] Luce d'Eramo, *op. cit.*, pp. 18-21.
[2] I. Silone, *Fontamara*, Milano, Mondadori (Oscar), 1972, p. 20.

dionale egli trova frequentemente nella letteratura
per turisti. In certi libri, com'è noto, l'Italia meridionale è una terra bellissima, in cui i contadini
vanno al lavoro cantando cori di gioia, cui rispon-
dono cori di villanelle abbigliate nei tradizionali
costumi, mentre nel bosco vicino gorgheggiano gli
usignoli. Purtroppo, a Fontamara, queste meravi-
glie non sono mai successe. I Fontamaresi vestono
come i poveracci di tutte le contrade del mondo.
E a Fontamara non c'è bosco: la montagna è
arida, brulla, come la maggior parte dell'Appen-
nino. Gli uccelli sono pochi e paurosi, per la caccia spietata che a essi si fa. Non c'è usignolo;
nel dialetto non c'è neppure la parola per uesi-
gnarlo. I contadini non cantano, né in coro, né a
soli; neppure quando sono ubriachi, tanto meno –
e si capisce – andando al lavoro. Invece di cantare volentieri bestemmiano. Per esprimere una
grande emozione, la gioia, l'ira, e perfino la devozione religiosa, bestemmiano. Ma neppure nel bestemmiare portano molta fantasia e se la prendono
sempre contro due o tre santi di loro conoscenza,
li mannaggiano sempre con le stesse rozze paro-
lacce ».[3]

Silone precisa il senso dello strumento linguistico
usato:

« A nessuno venga in mente che i Fontamaresi
parlino l'italiano. La lingua italiana è per noi una
lingua imparata a scuola, come possono essere il
latino, il francese, l'esperanto [...]. Ma poiché non
ho altro mezzo per farmi intendere (ed esprimermi
per me adesso è un bisogno assoluto), cosí voglio
sforzarmi di tradurre alla meglio, nella lingua imparata, quello che voglio che tutti sappiano: la

[3] *Ibid.*, p. 28.

verità sui fatti di Fontamara. Tuttavia, se la lingua è presa in prestito, la maniera di raccontare,
a me sembra, è nostra. È un'arte fontamarese.
È quella stessa appresa da ragazzo, seduto sulla
soglia di casa, o vicino al camino, nelle lunghe
notti di veglia, o accanto al telaio, seguendo il
ritmo del pedale, ascoltando le antiche storie ».[4]

Opportunamente – attraverso le pagine del romanzo
– il dialetto appare, come sappiamo teorizzato da
Adorno, lingua impoverita dal dominio e in quanto
tale incapace di descrivere fino in fondo l'oppressione agli oppressi; Silone intuitivamente ne è consapevole e da qui la sua scelta espressiva. Si diceva
che Fontamara è il racconto di una guerra di classe
tra i contadini poveri di un villaggio di montagna e i
nuovi padroni fascisti del capoluogo, alleati agli ex-
notabili democratici e alle autorità religiose (sullo
sfondo il potere economico centrale, il capitale della
grande città, simboleggiato dal mito-incubo della banca,
che implica in sé anche la corruzione e la mondanizzazione religiosa per la sua architettura basilicale col
coronamento a cupola; è una delle figure polemiche
più ricorrenti di Silone: « Le chiese sono diventate
banche »).
La sua struttura ideologica è esemplarmente mar-
xiana: dalla rottura della crosta dell'individualismo, alla
nascita e al consolidarsi della solidarietà di classe, alla
lotta di popolo. Ma vediamo le linee dell'intreccio,
tenendo presente che si tratta di un'opera corale e che
le individualità via via più spiccate vengono in primo
piano come espressione di stati d'animo collettivi: i
contadini fontamaresi passano attraverso una via crucis
sempre più crudele di soprusi (il furto dell'acqua che
irriga i loro campi, l'invasione del paese da parte di
squadracce fasciste che stuprano le donne, la negata

[4] *Ibid.*, p. 30.

concessione delle sperate terre del Fucino, l'uccisione
in carcere del loro leader, Berardo Viola), i quali si
aggiungono alle sofferenze tradizionali: la miseria, la
disoccupazione, l'emigrazione vietata. Giungono alla
disperazione, stampano un giornale di protesta « Che
fare? », li investe la repressione fascista. Ma la rivoluzione dilaga; e quale che ne sia la conclusione, gli
oppressi hanno cominciato a rialzare la testa ormai
consapevoli che hanno da perdere solo le loro catene.
Parabola biblica: i fontamaresi hanno una terra promessa, il loro regno d'utopia nella pianura del Fucino;
satira politica (il lungo elenco di grotteschi: don Circostanza, don Carlo Magna, don Abbacchio, il cavalier
Pelino, ecc.); referto antropologico: le opere e i giorni
dei contadini, i terreni e le culture, gli usi e i proverbi;
tutti questi registri confluiscono in un discorso che si
articola in pluricoralità (quel villaggio – Fontamara –
sempre pieno di voci in cui ognuno partecipa alla vita
di tutti; il coro delle donne, il coro dei cafoni, il coro
dei fascisti), e che prende senso dalla lotta ipostatiz-
zata secondo le forme della ballata popolare (tra Berardo Viola, l'eroe dei cafoni, il piú forte e quindi
legato con la piú bella, Elvira, predestinato addirittura
nella sua storia familiare e l'Impresario, il leader dei
fascisti, quasi privo di figura, simbolo del male e perciò chiamato il Diavolo), senza perdere nulla della sua
connotazione realistica e della sua verità storica. Pietà
e indignazione muovono continuamente da queste pagine dove si verifica una identificazione pressoché totale
tra l'autore e i fatti narrati, senza troppo pressanti interventi autobiografici o amplificazioni di commento (che
vedremo invece piú spesso, e fastidiosamente oratori,
nei romanzi successivi).

Il successo di *Fontamara*, la sua caratura di best-seller mondiale, rimangono un *unicum* (pur tenendo presente anche la fortuna del successivo, *Vino e pane*); il
romanzo appartiene alla grande categoria dei libri civili
in cui si riassume la punta di progresso di una genera-

zione. Per l'eco esercitata e per l'analoga dimensione di testimonianza possiamo avvicinarlo a *Niente di nuovo sul fronte occidentale*, di E. M. Remarque, romanzo antimilitarista e a *Buio a mezzogiorno* di A. Koestler, sul terrore staliniano.

Fontamara riscuote immediatamente un grandioso consenso di lettura perché il suo contenuto di classe si rivolge al piú largo pubblico potenziale: quello dei democratici borghesi e del proletariato contadino. Si spiegano cosí le traduzioni che coprono tutto il mercato mondiale, anche nelle lingue piú remote e nei paesi piú modesti (per i quali non è neppure possibile ritrovare una borghesia illuminata di lettori); si spiega anche la fortuna didattica del romanzo proprio per il suo carattere di *flash* di una situazione per alcune zone ormai storica e per altre invece ancora attuale.

Vino e pane

Vino e pane è, dopo *Fontamara*, il secondo celebre romanzo dell'esilio. L. Barzini confronta l'appassionato interesse suscitato in tutto il mondo da *Pane e vino*, titolo della prima edizione, al suo apparire, con quello che salutò la pubblicazione del *Dottor Zivago* di Pasternak, qualche decennio dopo: « In Italia *Pane e vino* fu immediatamente bollato dalla stampa fascista come una codarda diffamazione del popolo italiano. Era estremamente difficile, e a volte pericoloso, ottenerne delle copie. Alcune edizioni (come i pamphlets patriottici del Risorgimento cento anni prima), erano stampate clandestinamente in italiano in Svizzera e portate attraverso le Alpi negli zaini dei contrabbandieri. Ogni copia era avidamente letta da un lettore dopo l'altro, in segreto, in poche ore, durante una notte senza sonno. Era poi passata rapidamente di mano in mano finché se ne rompevano le cuciture. L'unica copia che riuscii a procurarmi in quel tempo, aveva perso molte pagine, e io dovetti aspettare fino alla fine della guerra per leggere la conclusione di molti episodi. La voce di Silone sonava terribile nel silenzio circostante [...]. La prima edizione apparve in traduzione tedesca col titolo *Brot und Wein*, a cura di Adolf Saager (Oprecht, Zurigo, 1936) [...]; uscí in lingua originale in un secondo tempo, a cura dell'autore stesso; come edizione italiana per l'emigrazione (Nuove Edizioni di Capolago, Lugano, 1937), e in edizione italiana definitiva radicalmente riveduta: *Vino e pane* (Mondadori, Milano, 1955) ».[5]

Vino e pane è esemplare libro di testimonianza e di denuncia, ma accusa qualche cedimento alla distanza ed alla rilettura; certo ad immaginarsene contemporanei, – tra il '35 e il '40, tra il fascismo, il nazismo e l'autocrazia staliniana – ritorna fuori in tutta la sua forza. Oggi che è possibile confrontarlo con altre esperienze intellettuali d'esilio, ad esempio con Gramsci o con Brecht, non possiamo non notare la pesante macchina romanzesca di Silone, il prolisso e protratto moralismo, la sua scrittura spesso burocratica, senza forma, priva di elaborazione espressiva, la vaporosità ideologica (tutte dimensioni che si muovono in una atmosfera di oleografia e di *kitsch*, quasi romanzo d'appendice di sinistra o fotoromanzo dei buoni sentimenti nel lavoro politico); ci pare perciò di dover isolare la sua vena piú autentica, quella di narratore dell'umanità umiliata e offesa, cioè la descrizione della fenomenologia contadina che continua *Fontamara* e la capacità di dare presenza – protesta ai dannati della terra:

« Li vedeva risalire la valle stancamente, cenciosi e affamati, nella loro mossa tipica protesa in avanti, derivante dall'uso della zappa, dall'uso del grattare curvi sopra la terra, e, anche, dall'uso dell'ininterrotta servitú [...]. Dal mucchio si levava un puzzo di letame e di panni sporchi, un

[5] Luce d'Eramo, *op. cit.*, pp. 133 e 136.

tanfo che stringeva alla gola. Gente sottomessa e diffidente, teste trasognate su ceppi contorti e ritorti, teste deformate dalla fame, dalle malattie, e qualche giovanotto selvatico e rissoso ».[6]

Meno accettabile, si diceva, anche se nell'Europa delle dittature dovette produrre grande effetto, la linea oratoria e predicativa sull'uomo, sulla coscienza, sulla libertà proprio per il suo tono generico e per il suo esito improduttivo (qui si apre un capitolo della storia della fortuna e della storia della critica siloniana: l'appropriazione all'uso borghese-moderato della polemica anti-comunista di Silone; lo scrittore viene fatto diventare un custode di valori e quindi uomo della tradizione e viene cosí privato della sua reale carica eversiva: Silone scrittore per anime belle; ma si badi che tale interpretazione nasce su un fondo costitutivo dell'ambiguità siloniana: il suo pessimismo storico, la sua sfiducia nelle possibilità di cambiamento dell'uomo e in conseguenza l'immobilismo).

Vino e pane si avvia decisamente al III capitolo con l'introduzione del protagonista Pietro Spina (personaggio chiaramente autobiografico; e Pietro Spina inoltre è probabilmente l'agitatore politico che appare alla fine di *Fontamara*, per cui Berardo Viola si sacrifica). Siamo in pieno clima di avventura cospirativa: il militante politico rientrato clandestinamente nella sua terra di origine, malato, braccato dalla polizia, trova rifugio in una stalla (« ... è una vecchia storia noiosa che sempre si ripete. Le volpi hanno le loro tane, gli uccelli del cielo hanno i loro nidi, ma il figlio dell'uomo non ha nulla su cui posare la testa »). Per confondere le ricerche, Pietro Spina si traveste da prete e cambia il suo nome in quello di Paolo Spada (si noti il carattere significativo dei nomi: Pietro e Paolo; la spina e la spada;

[6] I. Silone, *Vino e pane*, Milano, Mondadori, 1963, pp. 165 e 180-81.

ma già, a questo proposito, si noti il titolo e il luogo del romanzo precedente: Fontamara; e il nome della località in cui, in *Vino e pane*, il protagonista si nasconde: Pietrasecca. È già stato ampiamente sottolineato dalla critica che il procedere per trame simbolico-allegoriche viene a Silone dalla cultura tipica della terra materna, l'Abruzzo cristiano, coi suoi fermenti millenaristici e profetici). A Pietrasecca il falso don Paolo è circondato dalla miseria del villaggio, è coinvolto e intrigato dalla superstizione, dalla riottosità, dalla diffidenza degli abitanti in cui cerca di stimolare il sogno del mondo liberato:

> « Un bel sogno [...]. I lupi e gli agnelli pascoleranno assieme nello stesso prato. I pesci grossi non mangeranno piú i pesci piccoli. Una bella favola. Ogni tanto se ne sente riparlare ».[7]

Va poi a Roma per riprendere i contatti col Partito e in una serie di sequenze drammatiche matura la decisione di rompere con esso per due motivi collegati: il conformismo acritico e la degenerazione tirannica – la lunga notte staliniana – del movimento comunista. Sono i durissimi e splendidi capitoli centrali, il XVII e il XVIII, chiaramente pieni dell'angoscia autobiografica che apparirà saggisticamente dichiarata in *Uscita di sicurezza*. Pietro Spina dice a Battipaglia, il segretario interregionale del Partito:

> « È conformismo dichiararsi sempre con la maggioranza [...]. Non ti pare? Siete stati con Bucarin, finché egli era con la maggioranza; sareste ancora con lui se egli avesse con sé la maggioranza. Ma, come potremo distruggere il servilismo fascista, se rinunziamo allo spirito critico? ».[8]

[7] *Ibid.*, p. 188.
[8] *Ibid.*, p. 235.

Uliva, che in realtà è la convincente personificazione della coscienza critica di Pietro Spina, dichiara per conto suo:

« L'avvenire nostro è il passato d'altre contrade [...]. All'attuale inquisizione nera succederà una inquisizione rossa. All'attuale censura, una censura rossa. Alle attuali deportazioni, le deportazioni rosse di cui saranno vittime predilette i rivoluzionari dissidenti. Allo stesso modo dell'attuale burocrazia che si identifica con la patria e stermina ogni avversario, denunziandolo come venduto allo straniero, la vostra burocrazia identificherà se stessa col Lavoro e il Socialismo, e perseguiterà chiunque continuerà a pensare con la propria testa come un agente prezzolato degli industriali e degli agrari ».[9]

Pietro Spina ritorna come don Paolo Spada a Pietrasecca e il romanzo si muove al suo epilogo religioso: l'uccisione redentrice e sacrificale di un amico di Pietro Spina, Luigi Murica. La descrizione del delitto e il compianto dei genitori sono i capitoli di una nuova Imitazione di Cristo, riprese degli episodi evangelici di Gesú incoronato deriso percosso dai soldati e della istituzione dell'eucarestia come rito di unità e di fratellanza. E la regia troppo compiaciuta e la ricerca troppo insistita di effetti non riescono a cancellare tutta la commozione dell'episodio. Ci si è limitati alla trama principale del romanzo, che in realtà è articolato in episodi laterali e ricco di comprimari, tratti, in particolare dalla varia realtà del mondo popolare (Matalena, l'ostessa; i vecchi cafoni Sciatàp e Magascià e tutta una serie di caratteristi); o dal clero (dall'antifascista don Benedetto, all'opportunista don Piccirilli, a don Girasole, buon impiegato d'amministrazione); o, infine dalla

⁹ *Ibid.*, p. 242.

nuova classe al potere che ha inglobato anche ex notabili socialisti come il tribuno Zabaglia detto Zabaglione («Attorno a un altro tavolo alcuni proprietari
e commercianti, uomini forti, bardati, insugnati, impro-
sciuttiti»).

Queste zone del contenuto permettono l'espressione
di un altro strumento stilistico caratteristico di Silone:
il grottesco, la satira, la deformazione del segno (ma
non pare sia stata ancora notata la derivazione precisa,
per questo registro, dal *Mastro don Gesualdo* del Verga
che a livello di citazione di scena – quella della processione vista dal balcone – sarà ancor piú chiaramente
visibile in *Il seme sotto la neve*). Con una morte e una
fuga – come già *Fontamara* e come ancora *Il seme sotto
la neve*, a sottolineare la struttura ciclica della trilogia
dell'esilio – termina dunque *Vino e pane*.

Di questo romanzo Silone effettuò qualche anno piú
tardi una riduzione teatrale dal titolo: *Ed egli si nascose*. Con questi romanzi dell'esilio e con gli altri successivi, Silone continua il grande filone risorgimentale,
di quegli scrittori che si proposero di divulgare all'estero, in controluce al quadro tradizionale dell'Italia,
luogo di bellezze naturali e artistiche, l'immagine del
paese oppresso e diviso. Inutile riaprire un capitolo di
storia della fortuna del Risorgimento; basti rammentare
le varie diaspore di intellettuali esuli in Francia, Inghilterra, Stati Uniti, (un'importanza a parte, fin da allora
ebbe la Svizzera, per i suoi tradizionali costumi di paese
libero e neutrale; appunto in Svizzera durante il fascismo Silone esplicitamente si riallaccia a questa matrice
risorgimentale con le «Nuove Edizioni di Capolago»
che riprendono, nello spirito, la linea mazziniana; e
Mazzini e Cattaneo sono i pensatori politici che lo scrittore riscopre in Svizzera ed ai quali si rifà come a
maestri, in sostituzione o integrazione di Marx). Per
concludere il discorso di storiografia letteraria appli-
cata alla storia politica, facciamo un ultimo riferimento
a Francesco Ruffini che, esule mazziniano in Inghil-

terra, diffonde entusiasmo e pathos attorno a quella che allora si chiamava « la causa italiana » con due romanzi patriottico-sentimentali, *Il dottor Antonio* e *Lorenzo Benoni*, di straordinario successo di lettori. A quasi un secolo di distanza, analogo, pur nell'assoluta diversità dei temi e delle forme, è il destino di Silone, la sua funzione pubblica di scrittore nei confronti delle nazioni democratiche, durante l'epoca delle dittature.

La scuola dei dittatori

La scuola dei dittatori venne pubblicata la prima volta in tedesco nel 1938; in Italia uscí solo nel '62 sul settimanale radicale « Il Mondo » a puntate e quindi lo stesso anno in volume presso Mondadori. Come in genere per le opere di Silone anche questa – oltre alla tedesca – ha avuto numerose versioni in lingue straniere con consensi e seguito di dibattiti; per la sua doppia datazione ha ricevuto il significato prima di diagnosi polemica e poi di bilancio *à rebours*. Tra le opere di Silone si pone come momento di pausa riflessiva, quasi una lucida rassegna dei caratteri che permisero la nascita, il consolidarsi e ora (1938-'39) l'apparente trionfo della dittatura; e ancora come una puntigliosa presa di visione dei caratteri e delle forme del nemico per poterlo meglio combattere.

La struttura è quella del dialogo tra un aspirante dittatore, Mr. Doppio vu, (« Il suo viso è un po' asimmetrico a causa di una profonda cicatrice sulla gota sinistra; egli ha gli occhi cerchiati e lo sguardo stanco di quelli che soffrono d'insonnia; e la piega delle labbra è propria degli uomini abituati all'insolenza e al dileggio. »),[10] il prof. Pickup, suo ideologo personale (« Il professore è vestito di nero, come un parroco e anche

---

[10] I. Silone, *La scuola dei dittatori*, Milano, Mondadori, 1962, p. 16.

la sua voce somiglia a quella d'un predicatore. L'abbondante criniera di colore giallo-granturco che gli corona la testa e l'ampia dentatura verde-gorgonzola gli danno un aspetto imponente, ma inoffensivo, di leone vegetariano. »),[11] e Tommaso il Cinico, esiliato dal fascismo, esperto in dittature (« Come sapete, erano i Cinici, quattrocento anni prima della nascita di Cristo, quelli che oggi la stampa benpensante chiamerebbe dei senza-religione e senza-patria. Al culto formale degli dei essi anteponevano, seguendo l'insegnamento di Socrate, la pratica della virtú, e tra gli uomini non conoscevano stranieri. »).[12]

La finzione che regola il testo è sulla linea della nota interpretazione foscoliana al Machiavelli (come di colui che « temprando lo scettro ai regnatori / gli allor ne sfronda ed alle genti svela / di che lacrime grondi e di che sangue [...] »); Tommaso il Cinico si finge infatti maestro dell'aspirante dittatore; la finzione è sempre ben trasparente al lettore e alla fine dichiaratamente lacerata. Infatti chiede Mr. Doppio vu:

« Le vostre visite, signor Cinico, mi hanno resa meno noiosa la sosta in questa città. Ve ne ringrazio. Se la fortuna m'assiste, posso sperare di ospitarvi in America? »,[13]

ma risponde Tommaso il Cinico:

« Perché no? Ma sarà pericoloso per entrambi. Certamente mi associerò ai vostri avversari per combattervi, e voi, seguendo i miei consigli, dovrete dare ordine di mettermi in prigione ».[14]

Il libro si svolge come un trattato di storia e tecnica

[11] *Ibid.*, p. 13.
[12] *Ibid.*, p. 20.
[13] *Ibid.*, p. 296.
[14] *Ibid.*

della dittatura diviso in capitoli dai lunghi titoli significativi (ad es.: *Su alcune condizioni che nella nostra
epoca favoriscono tendenze totalitarie*; *Sull'inutilità dei
programmi e la pericolosità delle discussioni e sulla
tecnica moderna per suggestionare le masse*; *Sul consenso plebiscitario, la compenetrazione stato-partito e
l'allevamento intensivo di capri espiatori*; ecc.), alter-
nando pagine da antologia ad altre piú comuni. Le tesi,
nel complesso, non sono particolarmente originali: nascita del fascismo sull'onda dell'insuccesso dei partiti
socialisti e della delusione delle masse; appoggio della
borghesia e del grande capitale industriale/agrario;
sfruttamento da parte fascista della democrazia libe-
rale, suo svuotamento dall'interno e quindi presa del
potere dopo aver ottenuto l'appoggio di polizia ed esercito; manipolazione della psicologia delle folle con l'uso
della propaganda; creazione di uno stato di panico
attraverso lo spregiudicato e organizzato sfruttamento
della violenza; infine creazione del culto e della liturgia
del capo come modello polivalente in cui tutti possano
identificarsi ed esaltarsi. Libro – si diceva – non asso-
lutamente originale (ma il suo cono di novità aumenta
molto se si giudica in base alla prima edizione – 1938 –
non a quella italiana – 1962 –); senz'altro molto lucido
come possiamo vedere da questo impressionante passo sul terrore (che trova una singolare corrispondenza
visiva, certamente indipendente, nel film *La vergogna*
di Ingmar Bergman):

« Comincia il terrore quando la lotta non esclude
piú alcuna specie di violenza, non esistono piú
regole, né leggi, né costumi. Degli avversari politici vi invadono la casa e voi non sapete che cosa
attendervi: l'arresto? la fucilazione? una semplice
bastonatura? la casa incendiate? il sequestro della
moglie e dei figli? Oppure si contenteranno di
amputarvi le braccia? Vi estrarranno gli occhi e
taglieranno le orecchie? Vi butteranno per la fine-

stra? Voi non lo sapete, non potete saperlo. È la
premessa del terrore. Il terrore non ha leggi e
regolamenti. È puro arbitrio e non mira che a
terrorizzare. Esso mira non tanto a distruggere fisi-
camente un certo numero di avversari, quanto a
distruggerne psichicamente il piú gran numero, a
renderli pazzi scemi vili, a privarli d'ogni residuo
di dignità umana. Quelli stessi che ne sono gli
autori e promotori cessano di essere uomini nor-
mali. Nel terrore le violenze le piú efficaci e fre-
quenti sono proprio quelle che sembrerebbero le
piú "inutili", le piú superflue, le piú inattese ».[15]

Concludiamo con una battuta che indica un altro dei
toni fondamentali di questo libro, quello ironico, di
umorismo scuro, che ha fatto richiamare il nome di
Bernard Shaw; a proposito di dittatura: « Una dittatura è un regime in cui, invece di pensare, gli uomini
citano. Essi citano tutti dallo stesso libro che fa testo ».[16]
    Reimmettendolo nella bibliografia di Silone (anni
'38-'39: sconfitta della rivoluzione spagnola e inizio
della seconda guerra mondiale), *La scuola dei dittatori*
rappresenta l'intelligenza che si arma per prepararsi a
resistere e una scomoda testimonianza per la cultura
europea oltre che per le democrazie tolleranti e ambigue
nei confronti degli stati totalitari.

Il seme sotto la neve

Per quanto concerne le notizie editoriali sul romanzo,
Luce d'Eramo scrive: « *Il seme sotto la neve* apparve
dapprima nella edizione in traduzione tedesca, a cura
di Werner Johannes Guggenheim, col titolo *Der Samen
unterm Schnee*, Europa Verlag, Zurigo, 1941 [...] il

[15] *Ibid.*, p. 218.
[16] *Ibid.*, p. 39.

romanzo apparve in edizione italiana per l'emigrazione, presso le Nuove Edizioni di Capolago, Lugano, 1942 [...] In Italia il romanzo apparve nella prima stesura presso le Edizioni Faro di Roma nel 1945. La nuova edizione italiana parzialmente riveduta uscí presso Mondadori, Milano, 1950 [...] Una nuova edizione italiana riveduta e corretta uscí ancora presso Mondadori, Milano, 1961 ».[17]

È il romanzo piú complesso di Silone, quello in cui è maggiormente visibile lo sforzo di esprimere le sue idee sulla società degli uomini e sulle sue istituzioni, a cui contrapporre un modello piú autentico, piú libe-ratorio: rappresenta il progetto, che lo scrittore stesso chiamerà di cristianesimo laico, di socialismo cristiano, e insieme un metodo pre-politico e pre-ideologico, basato sulla comunione dell'amicizia, sul disprezzo della ric-chezza, sul rifiuto del potere. Immediata la linea di collegamento col francescanesimo dell'Abruzzo ed an-cor prima con le comunità monacali, cioè con quel cristianesimo soprattutto etico e profetico, non storico e non dogmatico, contadino, che intride la realtà quoti-diana, la fatica del lavorare la terra, gli animali, le cose del mondo creato. Questo l'intento del romanzo; come prima approssimazione critica diamo l'eccellente giudizio d'insieme – del quale forse conviene sotto-lineare le riserve – di F. Virdia: « *Il seme sotto la neve*, pur nella sua prolissità, nel suo passo lento e solenne, in certo risentimento tutto idiomatico delle interminabili dissertazioni dei molti personaggi che lo gremiscono, pur nel lento e spesso contorto dipanarsi della vicenda, si appalesa come uno dei piú complessi romanzi di questi ultimi anni ».[18]

La storia del *Seme sotto la neve* intreccia tre livelli: 1) La testimonianza del passato, visto come mondo unitario ordinato attorno ad alcuni valori fondamen-

[17] Luce d'Eramo, *op. cit.*, pp. 201-202.
[18] *Ibid.*, p. 224.

tali, rappresentato da quello splendido personaggio che è donna Maria Vincenza Spina dalla quale prendono forma i temi della madre e della religione della famiglia:

« [...] si potrebbe vivere così bene in pace, non sempre lieti ma almeno sereni, se i figli rimanessero a casa loro, assieme alle madri, o non molto lontani da casa [...] donna Maria Vincenza [...] comincia a rievocare i tempi in cui ogni sera, al termine delle opere, ella raccoglieva la famiglia attorno a sé, e attorno alla famiglia i servi, come una chioccia riunisce sotto le ali i pulcini. E quando tutti erano presenti, ella intonava la preghiera serale e gli altri a testa scoperta facevano coro; e dopo la preghiera, se nella giornata era corso qualche malinteso, un litigio o un incidente qualsiasi, senza ambagi ella ne parlava e procurava di mettere i fatti in chiaro e a nessuno permetteva d'andare a letto neppure a suo marito, prima che ogni equivoco o rancore non fosse sciolto ».[19]

2) Il presente che vede alla ribalta la nuova classe, nata dalla fusione dei fascisti, degli ex-notabili democratici, degli agrari speculatori, classe che ha come unico idolo il denaro (continua la polemica contro le banche: il mondo liberato di Pietro Spina è senza banche; « [...] si potrebbe vivere così bene, senza banche »), ed è galleria di mascheroni: don Marcantonio, don Coriolano, Calabasce, Lazzaro Tarò, don Nicolino, de Paolis.

3) La singolare scelta di Pietro Spina, rivoluzionario senza partito e santo senza Dio che non può regredire al mondo della nonna donna Maria Vincenza e men

[19] I. Silone, *Il seme sotto la neve*, Milano, Mondadori, 1967, pp. 164-67.

che meno integrarsi nella società dei galantuomini e
fonda una sua comunità tra francescana e tolstojana,
di stile naïf, senza regole che non siano quelle dell'amicizia, della povertà, del rifiuto del potere, come già si
diceva introducendo il romanzo (alcune pagine sono
intimamente suggestive, ma nel nuovo mondo di questo
libro sono numerosi i momenti di invenzione fiacca, di
espressione trasandata, di quadro di maniera).

Pietro Spina trascina nella sua avventura Simone-la
faina, benestante decaduto per voluta ribellione e per
disprezzo nei confronti del suo ceto, Infante, un sordomuto senza parenti (che verrà scambiato verso la fine,
in un commovente equivoco, per una specie di Cristo
cafone), don Severino altro autoesiliato dalla società
per anticonformismo libertario e donna Faustina, in
fama di donna libera per una presunta colpa del
passato.

Ne *Il seme sotto la neve* c'è anche la ripresa e l'esaltazione della vena farsesca e grottesca soprattutto nel
largo spazio dato alla storia della zia Eufemia e quindi
negli episodi della pillola perpetua, della salsa del paralitico, di don Litro ecc.; la deformazione espressioni-
stica, il segno caricaturale che Silone ha mostrato di
prediligere fin dall'inizio della sua attività di scrittore,
danno esiti di greve e impura comicità. *Il seme sotto
la neve* prosegue la vicenda dal punto in cui terminava
Vino e pane: Pietro Spina fuggendo da Pietrasecca
ripara in una stalla; qui viene trovato dal proprietario,
il cafone Sciatàp:

« Il vecchio Sciatàp era conosciuto con questo
nome in tutta la valle. Anche lui era stato battezzato come il suo asino a legnate. Da giovane
egli aveva lavorato in America come uomo di
fatica presso un paesano, un certo Carlo Campanella, che d'inverno vendeva carbone e d'estate
ghiaccio nella Mulberry Street di Nuova York.
Veramente, colui che a Pietrasecca era il paesano

Carlo Campanella, a New York era diventato
Mister Charles Little-Bell, *Ice and Coal*. Egli trat-
tava il suo dipendente come una bestia da lavoro.
Ogni volta che la povera bestia si lamentava,
Mister Little-Bell gli gridava: "Sciatàp". Pare che
in lingua inglese Sciatàp voglia dire: sta' zitto.
Quando, dopo vari anni di residenza in America,
Sciatàp tornò a Pietrasecca, egli non sapeva che
quella sola parola d'inglese, sciatàp, e la ripeteva,
per diritto e traverso, ogni momento. Sua moglie
non poteva piú aprir bocca, perché lui metteva
l'indice sulla bocca e intimava: "Sciatàp". Cosí
la parola entrò nel dialetto della valle. Era la sola
espressione inglese che si conoscesse, a Pietrasecca, il solo elemento di cultura moderna e straniera nell'umile antica tradizione paesana ».[20]

Pietro viene consegnato dietro riscatto alla nonna
materna, donna Maria Vincenza. La quale poi si industria con affanno, muovendo da Erode a Pilato, per ottenere la grazia al nipote. Che la rifiuta, abbandona la
casa della nonna e torna a vivere allo sbaraglio, nel
pagliaio che serve da casa a Simone-la faina, con Simone
appunto e col sordomuto Infante. I tre convivono in una
sorta di comune anarchica isolati dalla realtà del paese,
disprezzando il conformismo, il tradimento, la paura
che hanno contaminato tutti (la metafora è trasparente:
la situazione narrativa addirittura regionalistica lascia
vedere in filigrana l'Europa dei totalitarismi e delle
collusioni legate alla ragione di stato, al di sopra delle
coscienze, quello che Gramsci nelle sue lettere conti-
nuava a chiamare « il mondo grande e terribile »).
Simone provvede al mantenimento e Pietro cerca di
insegnare qualche parola a Infante: il loro tentativo
è quello di vivere al grado piú semplice e piú elementare di umanità, ancora autentico, non inquinato. Pie-

tro quindi – per evitare la cattura sua e degli amici –
ripara ad Acquaviva, accettando come schermo protettivo un fortunato equivoco che lo fa passare per Saverio Spina, lo zio eroe della guerra libica. Con lui è
Faustina; da rilevare l'incapacità di Silone nella descrizione di fatti sentimentali che vengono resi in genere
con toni da bassa letteratura; si veda la prima appari-
zione di Faustina:

> « [...] gli occhi grandi umidi e come bagnati di
> voluttà, la bocca ampia carnosa color di camelia,
> le danno un'espressione vorace e ardente, e nello
> stesso tempo triste »[21]

e, in un altro momento:

> « Alla luce del mattino Faustina gli sembra ancor
> piú bella; e trovandosi egli ancor disteso sul pavi-
> mento, la ragazza gli appare piú alta piú slan-
> ciata piú ariosa e leggera del naturale; incante-
> vole ombrosa palma. Ah, potersi arrampicare su
> quel tronco, cogliervi i soavi frutti nascosti, piú
> dolci d'ogni cosa dolce, gustarli assaporarli lenta-
> mente, disteso alla sua tiepida ombra ».[22]

Pietro viene poi raggiunto da don Severino, da Simone e da Infante. Ad Acquaviva stringono rapporti
di sodalità con i conoscenti di Simone, Cesidio e
Pasquale il bottaio, cercano di allargare la rete del-
l'amicizia e della resistenza all'oppressione; Pietro visita
gli antichi compagni di lotta sopravvissuti alle perse-
cuzioni e le vallate lievitano di nuovi fermenti, di
spunti di vita nuova. L'epilogo è imprevisto: Infante
uccide il padre tornato dall'America e Pietro si consegna ai carabinieri accusandosi del delitto.

[21] *Ibid.*, p. 57.
[22] *Ibid.*, p. 473.

Romanzo pletorico, di intreccio tortuoso, con *flash-back*, colpi di scena, digressioni; patetico e grottesco, sublime e banale; ma per apprezzarlo nel suo insieme (proprio per questo ibridismo, per qualche impressione di impaccio e rozzezza, talora potente, per certa incongruenza e ripetitività dei personaggi che presentano effetti, certo involontari, di parodia), bisogna ricondurlo sotto la struttura del melodramma, per una sua volontà effusiva di commuovere e di sommuovere, cui si aggiungono massicce istruzioni e raccomandazioni per l'uso e la comprensione del messaggio.

Una manciata di more

Una manciata di more è il primo romanzo del ritorno in patria di Silone; è uscito nel 1952 in Italia presso Mondadori e come al solito ha ottenuto un notevole successo anche all'estero (venne tradotto in dieci lingue). La fine della guerra e la fine dell'esilio hanno contribuito a schiarire il discorso di Silone; *Una manciata di more* è con *Fontamara*, a nostro parere, il suo libro piú persuasivo e piú piano, in cui piú convincentemente si fondono il livello del racconto e il disegno del valore profondo da dare allo stesso; l'utopia traspare dagli episodi, dall'andante del romanzo con scarse amplificazioni predicatorie. Appare la vena piú accattivante di Silone, quella del narratore biblico che si esprime per parabole concrete, in una specie di vangelo apocrifo che dice la moralità di una terra e una gente poverissimi; anche i simboli, e i personaggi che piú evocano antichi santi (di almeno uno – Lazzaro – si dice esplicitamente che se fosse vissuto al tempo di Nostro Signore sarebbe stato eletto fra i dodici apostoli), acquistano via via rilievo per forza interna, non per insistenze registiche, per gli effetti che provocano e per quello che fanno, non per quello che è detto di loro. Il modo di scrittura (*per exempla* significativi che

intervengono, mentre la storia si dipana, a orientarne il
senso), e quel tanto di aura favolosa che accompagna
gli uomini e le cose del romanzo (per il loro carattere
segnato, fatato, quasi riassunto realistico di una vicenda
che ha origini lontane e che continua a ripetersi, in
generale la lotta tra il bene e il male e in particolare
il contrasto tra potere e verità nelle sue varie specifica-
zioni), fanno legare da un filo comune *Una manciata di
more* e *Fontamara*, come i romanzi piú vicini all'arte
paesana del tessere, citata appunto nella prefazione di
Fontamara quale modello di poetica. Al di là della
trama politica legata alla cronaca e all'autobiografia (pagine francamente fastidiose e dilettantesche sono
quelle del contrasto fra Rocco e il suo partito, il
PCI, dettate da astio troppo immediato e abbastanza
grossolane. Col che non si vuol senz'altro dire che
Rocco e con lui Silone avessero torto; ma qui si
analizzano i risultati espressivi), la bellezza del libro
sta nella sua intelaiatura di dramma liturgico; la lettura piú opportuna dovrebbe mantenere in sordina
l'intreccio conduttore, portare in evidenza a sé i racconti, vederli nell'insieme come una specie di Leggen-
dario moderno.

La trama del romanzo è al solito fitta di persone e
di avvenimenti e il piano temporale del presente è
spesso attraversato da pagine di ricordi; la dimensione
saggistica – ribadiamo – è assai ridotta.

Rocco de Donatis, dopo la guerra partigiana, resta
nella sua contrada come funzionario del PCI; presto ha
modo di rendersi conto di quanto il Partito anteponga il
potere alla volontà di giustizia (in una questione di distribuzione di terre, il Partito è pronto ad un accordo col
latifondista a favore dei contadini iscritti; anche se in tal
maniera restano esclusi i contadini piú poveri) e infranga
a suo piacimento la sfera della piú intima libertà umana
(il lungo episodio in cui la donna di Rocco, Stella, è
strumentalizzata per perquisire la casa e costruire capi
d'accusa contro il rinnegato). Rocco abbandona il Par-

tito, riprende la sua professione (per uscire dall'astrattezza dell'ideologia), continua anche il lavoro politico facendosi leader dei contadini poveri assieme a Martino e a Lazzaro. Questo l'impianto principale che provvediamo ora a sciogliere piú minutamente per rendere conto dei personaggi e degli avvenimenti di un qualche rilievo. La donna di Rocco, Stella, ha un passato romanzesco: profuga ebrea, fuggitiva col padre, ha trovato rifugio presso il Casale, un grande cascinale fuori mano, posto su un importante valico montano; il Casale è, per cosí dire, terra franca, abitato soprattutto da ladri di strada, dominato dalla gigantesca figura di Zaccaria e da sua moglie Giuditta. Il Casale ha il suo momento di fama nazionale quando Zaccaria lo proclama indipendente dall'Italia e Soviet federato con l'URSS, « a titolo d'esperimento e senza obblighi fiscali ». Stella si innamora di Rocco e va a stare con lui; quando Rocco rompe col Partito Stella invece rimane:

> « [...] ella intendeva agire in modo che, al piú presto, Rocco fosse riammesso nel Partito. Chi poteva immaginare separato dai suoi vecchi amici un uomo da tanti anni cosí intimamente impegnato nella causa comune? Fuori del Partito la vita di Rocco avrebbe perduto ogni senso. Si trattava unicamente, pretendeva Stella, di chiarire alcuni malintesi. Finché lei avesse lavorato nel Partito, in un certo senso, vi sarebbe rimasta anche una parte di lui ».[23]

Stella subisce uno choc che la tramortisce quando scopre la doppiezza con cui è stata trattata e la crudeltà del risultato che doveva concorrere a determinare. A sollevarla dallo smarrimento interviene don

[23] I. Silone, *Una manciata di more*, Milano, Mondadori, 1964, p. 201.

Nicola, uno dei preti positivi di Silone, compagno di
scuola di Rocco, lo stesso che le aveva assistito il padre
nell'agonia. Don Nicola fa da contrappunto a un'altra
figura di prete, il parroco suo predecessore, don Giustino Tarocchi:

« Don Giustino Tarocchi, alla cui morte il posto
era rimasto vacante, era stato infatti un prete
d'una specie assai poco frequente. Durante il suo
lungo ministero egli aveva finito per crearsi una
religione secondo la misura delle proprie forze
fisiche e intellettuali. Ordinariamente egli non si
occupava della chiesa che d'inverno. Nelle altre
stagioni preferiva cacciare. Partiva a cavallo la
mattina, con la doppietta e i cani, e tornava la
sera. In sua assenza, a chi chiedeva assistenza religiosa, il sacrestano indicava la pila dell'acqua san-
ta. Don Giustino amava anche bere; se qualcuno
gli teneva compagnia, non conosceva limiti nel
vuotare bottiglie e boccali. Egli era gioviale popo-
laresco generoso; non sapeva essere malvagio,
ma poteva essere prepotente. Avendo trascorso a
S. Luca tutta la sua lunga vita in un'epoca in cui
gli uomini validi, per causa di guerra o d'emigrazione, erano spesso assenti, non c'era da stupire
che gli venisse attribuita la paternità di un notevole numero di figli. Egli era di statura media,
ma forte robusto villoso. Quando il vento gli sol-
levava la sottana nera che gli scendeva fino ai
piedi, si poteva scoprire che abitualmente egli
non usava portare calzoni né mutande. "Sarebbero
d'impaccio" diceva [...] I Tarocchi, suoi parenti,
lo proteggevano a spada tratta. A parole, essi met-
tevano avanti il prestigio del casato; ma ciò che a
essi importava di piú era la sanzione religiosa che
il fascino di don Giustino assicurava all'usurpazione familiare della selva ».[24]

[24] *Ibid.*, p. 83.

Questa lunga citazione ci è servita per introdurre Lazzaro e Martino (rispettivamente l'amico prediletto del Signore e il santo dei poveri nella agiografia cristiana), legati ambedue alla selva; l'uno dall'essere il portatore della tromba:

> « La suonava Lazzaro per convocare i cafoni di Sant'Andrea [...] Si parlava della selva [...] Si parlava dei continui incidenti a causa della maledetta selva, ch'era di tutti e di cui i Tarocchi s'erano impadroniti; incidenti di pascolo, di legnatico... »;[25]

l'altro dall'aver passato, figlio di carbonaio, l'infanzia nella selva:

> « [...] passai qui tutta la mia infanzia e adolescenza. Ero qui la maggior parte del tempo. La selva era la mia casa, la mia scuola, la mia palestra. Aiutavo mio padre a fare il carbone di legna [...] Per giorni e giorni vivevo qui nella selva, tra le querce i faggi i larici, correndo all'impazzata da un capo all'altro, inseguendo le lepri i gatti selvatici le vipere; non credo per ucciderli o catturarli, forse per una specie di familiarità, per cameratismo, per sfida o gara ».[26]

E Martino e Lazzaro sono i due leaders contadini che con Rocco Stella e don Nicola cercano di vivere e proporre una dimensione nella quale l'ideologia è mantenuta per quel tanto che coincide col discorso evangelico; vien fuori ancora l'utopia sociale di Silone, espressa una volta per tutte nel *Seme sotto la neve*: « Fare del Fucino un Soviet con a capo Gesú Cristo ».

[25] Ibid., p. 64.
[26] Ibid., pp. 94-95.

Il segreto di Luca

Il segreto di Luca uscí nel 1956 presso Mondadori, Milano; ha avuto a tutt'oggi dieci traduzioni integrali in lingue straniere; ha procurato all'autore il Premio Salento 1957. In questo romanzo Silone abbandona quasi completamente la dimensione politica per una storia d'amore, elevata e paradossale, incomprensibile forse fuori delle sue coordinate geografiche, che sarebbe stata bene in un romanzo cavalleresco o disegnata su un arazzo medioevale.

La tecnica è quella del racconto poliziesco; uno dei protagonisti – Andrea Cipriani – attraverso interrogatori, ricerche, associazioni di fatti trova il filo conduttore e sdipana tutta la storia d'amore – appunto – e di sofferenza di Luca Sabatini, ergastolano innocente, cui pur senza conoscerlo è legato da un fondamentale rapporto essendo servito come scrivano alla madre, analfabeta, di lui. Dalle inchieste di Andrea Cipriani, dai ricordi dei testimoni via via sollecitati e alla fine dalle parole di Luca Sabatini stesso che servono per mettere a punto gli ultimi particolari, riaffiorano la vecchia storia, le persone in essa implicate e soprattutto due figure di donna, Ortensia e Lauretta.

Ortensia:

« Era alta, slanciata, aveva grandi occhi verdognoli; sempre ben pettinata, aveva capelli castani bellissimi. Quando sorrideva era meravigliosa. Sorrideva spesso ».[27]

Lauretta:

« Era l'ingrandimento fotografico di una fanciulla vestita all'antica, con un visino pallido emaciato,

[27] I. Silone, *Il segreto di Luca*, Milano, Mondadori, 1956, pp. 116-17.

due grandi occhi impauriti e una voluminosa croc-
chia di capelli sull'alto dell'occipite. Forse a causa
dell'inesperienza del fotografo, l'immagine aveva
qualcosa d'allucinante e fantomatico ».[28]

I personaggi cui Silone assegna cariche positive sono
sempre fuori della norma; la passione amorosa è infatti
qui vissuta con la stessa intransigenza e con lo stesso
estremismo con cui altrove la passione morale e la passione politica. Luca Sabatini percorre il suo itinerario
amoroso con la identica assolutezza e totale devozione
e senso dell'onore con cui altri eroi dell'universo romanzesco di Silone percorrono itinerari utopici o ascetici.
Essendo una storia a tasselli, man mano tutto il paese
vi cresce d'intorno con la caratteristica della società
contadina povera dove tutti conoscono tutto di cia-
scuno: che è coro di pettegolezzi ma anche possibile
rete di solidarietà; tanto piú che il sentimento amoroso
– pur essendo adulterio platonico e sublimazione assoluta – si impiglia nelle norme non scritte della vita di
rapporto del paese (il romanzo vive anche di questo
contrasto fra società legale e società reale, fra la legge
dei codici e quella altrettanto e piú intimamente osser-
vata, ancestrale, del costume, dell'uso, in buona parte
fondata su un cristianesimo etico).
Luca si innamora di Ortensia, la piú bella ragazza del
paese, la quale però non lo ricambia e sposa il piú
ricco proprietario del luogo, don Silvio Ascia. La storia
continua come in un manuale di stilnovismo: Luca
continua ad amare Ortensia, la frequenta nei luoghi
di incontro obbligato (la chiesa, i ricevimenti nelle case),
la contempla in adorazione e ad un certo punto Ortensia finisce per contraccambiare il suo amore. Naturalmente la situazione è senza sbocco; Luca non regge
all'idea di sposare senza amore la fidanzata Lauretta
(la quale morirà poi d'abbandono), come non trova la

[28] *Ibid.*, p. 149.

forza di andarsene per sempre espatriando; arrestato
per un equivoco, accusato di un delitto non commesso,
entra all'ergastolo per non compromettere il nome senza
macchia di Ortensia. La quale, per non essere da meno,
abbandona la casa maritale (e il marito vende la fabbrica posseduta al paese ed emigra in Brasile; con danno
economico rilevante per gli abitanti del luogo), si rifu-
gia in un convento, vivendo nel ricordo di Luca (che,
uscendo dall'ergastolo dopo quarant'anni, ha modo di
averne un lascito di lettere). Una storia d'altri tempi,
come si vede, ma che affonda nella reale esperienza
autobiografica dello scrittore. Per stringerci al filone
centrale del romanzo abbiamo trascurato il terzo dei
principali personaggi maschili, don Serafino, amico di
Andrea e di Luca:

> « [...] voi non potete immaginare fino a che punto
> egli possa essere noioso e indiscreto. Per dirvela
> in due parole, quel vecchio prete, non solo predica
> la fede in Dio alle donne e ai bambini, come la
> sua professione richiede, ma egli stesso ci crede.
> Voi ridete? Voi pensate che io esageri? Ebbene,
> ve lo giuro su quel che ho di piú caro. Lui stesso
> me l'ha personalmente assicurato, egli crede an-
> cora nell'esistenza di Dio, ah, ah, ah ».[29]

Si diceva all'inizio che in questo romanzo mancano
il pesante aforizzare e sentenziare; d'altra parte il libro
pare abbastanza eccentrico, quasi un ricamo sui mar-
gini, rispetto a tutta la produzione di Silone; non
saremmo forse troppo azzardati se lo considerassimo
una delle storie gentili di *Una manciata di more*, la
quale abbia trattenuto l'attenzione dell'autore che l'ha
ampliata a romanzo autonomo. Come è avvenuto per
il romanzo successivo a questo, *La volpe e le camelie*,
del '60, ripreso da un antico *La volpe*, scritto nel '34.

[29] *Ibid.*, p. 22.

La volpe e le camelie

La volpe e le camelie uscí nella redazione definitiva, in romanzo, nel '60; preceduta da due versioni ('34, '58) del racconto *La volpe*; a tutt'oggi è stato tradotto in sei lingue. Questa volta la storia esce dall'Abruzzo, ma è legata ancora alla esperienza biografica dell'autore, perché è ambientata nel Canton Ticino dove Silone trascorse lunghi anni d'esilio.

Di fronte all'impressione di non-necessità dell'opera, di intrinseca gracilità, viene in mente quanto Pietro Spina diceva del vino abruzzese: che portato fuori della regione d'origine diviene insipido; e cosí è del mondo espressivo di Silone.

Nella casa di un antifascista svizzero, Daniele, viene ricoverato un giovane fascista ferito, Cefalú, in incognito, naturalmente, per quel che riguarda la sua connotazione politica.

Silvia, figlia di Daniele, si innamora del giovane fascista il quale la ricambia sottraendo elenchi di nomi e documenti compromettenti dallo studio dell'ospite. Fugge, ma preso dal rimorso, si suicida annegandosi

Scopo del romanzo è quello di negare una visione manichea della vita e di trovare l'uomo anche nel nemico; risultato raggiunto, anche se in maniera un po' *éclatante* e impreveduta.

Il romanzo ci dice abbastanza poco dell'emigrazione politica, è quasi tutto dedicato a personaggi locali; spesso assai fine la descrizione della vita e dei sentimenti della famiglia, dei lavori della campagna; appena accennato l'ambiente cittadino (Locarno?).

Per capire il titolo occorre ricordare che « la volpe » si riferisce all'animale nocivo « di quella razza che visita i pollai dei dintorni » e alla fine viene catturata alla tagliola e uccisa da Daniele; « le camelie », invece, si riferiscono alla festa dei fiori, data come prossima quando inizia l'azione del romanzo.

Si tratta di due simboli: del male che si muove

nascosto e subdolo (ma che può essere vinto); del tranquillo *establishment* svizzero, che vuole respingere ogni turbamento esterno, ogni compromissione con ciò che non lo riguarda.

Interessanti, anche se non del tutto nuove, alcune figure secondarie: il pacifista Agnus Dei che ha l'ambizione di mettere d'accordo Gesú Cristo e Karl Marx, la sartorella, il verduraio. Insolitamente sobri i ritratti dei protagonisti tra i quali spiccano il duro Daniele e la bella e generosa Silvia, la ragazza innamorata.

Non ci sono elementi per condurre analisi laterali e particolareggiate; il romanzo appare quasi, si direbbe, come non indispensabile fra le opere di Silone, ma lo fa accettare una sua pulizia e semplicità di scrittura; tanto piú che lo scrittore si mantiene in esso lontano dal genere edificante e consolatorio.

L'avventura d'un povero cristiano

L'avventura d'un povero cristiano, ultima opera di Silone, è uscita presso Mondadori nel 1968 e – anno dopo anno – ha ottenuto un notevole successo di pubblico e numerose edizioni in lingue straniere. Si tratta di un'opera fondamentale per la comprensione dello scrittore, perché presenta in termini didattici, e quindi col massimo di chiarezza, la poetica e la tematica immanenti nell'opera di Silone (soprattutto nei romanzi di cui sono protagonisti Pietro Spina e Rocco de Donatis; nell'introduzione vengono esplicitamente richiamati *Ed egli si nascose*, riduzione teatrale da *Vino e pane*, e *Una manciata di more*).

Vediamo innanzitutto dichiarata l'unità dell'immaginario siloniano:

« Ho già detto in altra occasione che, se fosse stato in mio potere di cambiare le leggi mercantili della società letteraria, avrei amato passare la vita a scrivere e riscrivere sempre la stessa storia nella speranza, se non altro, di finire col capirla e farla capire. Cosí nel medioevo vi erano dei monaci che trascorrevano l'esistenza a dipingere il Volto Santo, sempre il medesimo volto, che in realtà poi non era mai del tutto identico. Ormai è chiaro che a me interessa la sorte d'un certo tipo d'uomo, d'un certo tipo di cristiano, nell'ingranaggio del mondo, e non saprei scrivere d'altro ».[30]

Qui appare anche come centrale il motivo dell'utopia, dell'anarchismo evangelico, del regno dell'amicizia che viene colto alla sua fonte, nel modello delle comunità monacali povere del Medioevo abruzzese:

« Li univa, malgrado alcune divergenze, una comune fede nell'imminente Regno di Dio, quale era stato annunziato nel secolo precedente da Gioacchino da Fiore: l'attesa di una terza età del genere umano, l'età dello Spirito, senza Chiesa, senza Stato, senza coercizioni, in una società egualitaria, sobria, umile e benigna, affidata alla spontanea carità degli uomini ».[31]

Come conseguenza ne deriva il significato dell'impegno politico per i personaggi siloniani:

« Se l'utopia non si è spenta, né in religione, né in politica, è perché essa risponde a un bisogno profondamente radicato nell'uomo. Vi è nella coscienza dell'uomo un'inquietudine che nessuna riforma e nessun benessere materiale potranno mai placare. La storia dell'utopia è perciò la storia di una sempre delusa speranza, ma di una speranza tenace. Nessuna critica razionale può sradicarla,

[30] I. Silone, L'avventura d'un povero cristiano, Milano, Mondadori, 1968, p. 11.
[31] Ibid., p. 28.

ed è importante saperla riconoscere anche sotto
connotati diversi [...]. Chi accetta questo criterio,
non troverà blasfema l'affermazione, ad esempio,
che gli uomini i quali una volta dicevano no alla
società e andavano nei conventi, adesso il piú sovente finiscono tra i fautori della rivoluzione sociale, (anche se in seguito essi rinnegano, o cre-
dono di rinnegare, la spinta d'origine) ».[32]

È opportuno ricordare gli innumerevoli episodi,
parabole, figure che costituiscono un discorso continuo da un'opera all'altra di Silone, fermenti che fanno lievitare una specie di Vangelo abruzzese, di Vangelo dei cafoni; senza tacere, riassuntivamente, che
gli itinerari dei personaggi privilegiati, di quelli cui
Silone consegna il suo messaggio etico-utopico, rical-
cano l'itinerario dell'Imitazione di Cristo (per analogia
ci viene in mente il *Nazarin* di Buñuel, con la sua progressiva spoliazione dei segni dell'istituzione e del potere
e la ricerca di una prassi religiosa nella solidarietà con
i diseredati; Buñuel ha naturalmente implicazioni meta-
fisiche che mancano al piú semplice Silone).
   L'indice tematico qui raccolto – unità dell'immaginario siloniano, sua prospettiva utopica che parte
dall'educazione religiosa famigliare e dalle prime esperienze sociali (accogliendo una eredità storica, la tradizione dell'Abruzzo profetico e millenaristico), itinerario dei personaggi positivi come Imitazione di
Cristo – l'abbiamo desunto dalle quattro premesse
unite sotto il titolo di *Quel che rimane*.
   Nel dramma è messa in scena la vicenda di Pietro da
Morrone che dalla vita eremitica sale con il nome di
Celestino V sulla cattedra papale alla quale dopo tre
mesi abdica in favore del Cardinale Caetani, poi Bonifacio VIII. A questo primo piano si intrecciano le
lotte tra francescani spirituali e francescani conven-

[32] *Ibid.*, p. 30.

tuali, tra la Chiesa della croce e la Chiesa della gloria, tra l'amore per gli uomini e il potere sugli uomini. Silone dà una soluzione manichea a questo problema: il potere corrompe, sempre; e la Chiesa cattolica quando è diventata istituzione, autorità, da forza liberatrice si è trasformata in forza oppressiva e il suo aspetto di redenzione si è rifugiato nella spontaneità popolare, nei fermenti eretici o comunque non disciplinati (la stessa diagnosi lo scrittore l'aveva fatta per il movimento marxista che una volta divenuto ideologia di stato si era mutato in tirannide, in inquisizione rossa e aveva cancellato del tutto la sua premessa messianica, la sua volontà di rivoluzione copernicana – gramscianamente – nei rapporti tra gli uomini).

Nell'*Avventura d'un povero cristiano* è lo scontro continuo fra due chiese storiche: quella mondana e quella profetica; l'adesione totale dell'autore va naturalmente a Celestino V e ai fraticelli spirituali ai quali sono assegnate le sue tesi piú care. Ecco come è espressa l'utopia:

« Cosa fareste se dietro di voi venisse la maggioranza del popolo? [...] Quello che fra Jacopone da Todi chiamava la "sancta nichilitate" [...] L'anarchia? [...] Perché no? Un modo di vivere assieme, secondo la carità e non secondo le leggi ».[33]

Conseguente l'atteggiamento dei fraticelli spirituali nei confronti della ricchezza e del potere:

« Essi dicono che i grandi conventi generano fatalmente spirito di caserma e diventano centro di potere e di ricchezza, in contrasto col vero spirito cristiano. Perciò essi preferiscono piccole comunità libere, provvisorie e senza patrimonio ».[34]

[33] *Ibid.*, p. 78.
[34] *Ibid.*, p. 55.

E a proposito dell'ubbidienza:

> « Ma come puoi tu affermare che bisogna ubbi-
> dire sempre all'autorità? E se l'autorità cade in
> errore? [...] È scandaloso che un cristiano ponga
> l'ubbidienza prima della verità ».[35]

Ma per ridurre quasi in termini proverbiali la questione agitata nel dramma, si legga questo scambio
di battute tra Celestino V e il Cardinal Caetani.

Celestino V:

> « Forse susciterò la vostra compassione se vi dirò
> che, perfino in questioni come queste, io sono ri-
> masto al Pater Noster e al Vangelo. Nelle parabole
> del Vangelo, voi lo sapete come me, le relazioni
> tra gli uomini sono sempre personali e dirette. Vi
> è sempre il padre con i figli e i servi; il padrone
> della vigna con i vignaroli; il pastore con le peco-
> re e gli agnelli e cosí via; non vi sono mai rela-
> zioni indirette e anonime, o finte, oppure come
> voi dite, convenzionali ».[36]

Il Cardinale Caetani:

> « Dai tempi del Vangelo a oggi, devo ricordar-
> velo? la società si è ingrandita e anche la Chiesa
> [...] Al livello parrocchiale o diocesano posso dar-
> vi ragione. Ma la Chiesa, nel suo insieme, è ora
> una potenza, anzi, la piú elevata delle potenze, e
> deve regolarsi come tale. Non si governa col Pater
> Noster ».[37]

L'avventura ebbe un notevole successo anche presso

[35] *Ibid.*, p. 72.
[36] *Ibid.*, p. 145.
[37] *Ibid.*, p. 146.

gli ambienti cattolici e si capisce: dato il basso livello
del dibattito religioso in Italia e la pesantezza degli
interventi normativi (secondo nota lo stesso Silone),
non poteva essere che ben accolto un libro il quale
dava voce persuasiva ad argomenti ben presenti nelle coscienze dei credenti anche se smorzati ufficialmente. Silone ha funzionato con questo dramma-sag-
gio, da coscienza pubblica e si è in qualche modo
inserito nell'atmosfera del rinnovamento e della speranza giovannee e conciliari.

Silone pare proporre la fuga dal mondo, la via asce-
tica, ma – e facciamo nostra l'osservazione di padre
Balducci – il vero rinnovamento della Chiesa non sta
nell'abbandonare il mondo, bensí nel cambiare il suo
impegno nel mondo. Ad ogni modo ci premeva mettere a fuoco un altro punto e cioè una presunta conversione, un presunto « ritorno » di Silone. A tale ipo-
tesi risponde lo stesso Silone in una pagina delle
citate premesse:

« [...] una volta fuori [...] i dogmi religiosi finiscono col manifestarsi per quello che sono: le
verità proprie ed esclusive della Chiesa, il suo patrimonio spirituale, quello che la distingue dalle
altre chiese, anche cristiane; in una parola, la sua
ideologia. Non piú, dunque, messaggio del Padre
ai figli, a tutti i figli, limpida luce naturale scoperta nascendo, bene comune, verità universale,
evidente, irresistibile a ogni intelligenza in buona
fede; ma prodotto storico complesso, prodotto di
una determinata cultura, anzi amalgama di varie
culture, elaborazione millenaria di una comunità
chiusa, in permanente travaglio interno e in lotta
e concorrenza con altre. Infine, considerata con
benevolenza: una nobilissima, una veneranda sovrastruttura. Ma che diventa il povero Cristo in
una sovrastruttura? Si capisce che l'ingenuità per-
duta difficilmente si ricupera e che neanche può

essere decentemente rimpianta. La si può simu-
lare? Dopo essere passati per quella esperienza,
tornare a fingere di accettare un sistema di dogmi
la cui validità non è piú riconosciuta in assoluto, sarebbe sopraffare la ragione, violare la coscienza, mentire a sé e agli altri, offendere Dio.
Nessuno ce lo può chiedere; nessuna lusinga o
violenza, nessuno sforzo di buona volontà può
imporcelo. Fortunatamente Cristo è piú grande
della Chiesa ».[38]

La citazione è categorica e consentirebbe, al massimo, di avvicinare Silone al pensiero protestante o
meglio ancora al modernismo (nota era la sua amicizia
con Ernesto Buonaiuti; ma anche in questa direzione
non è il caso di calcare la mano).

Severina

Possiamo continuare a considerare, come ultima opera di Silone, *L'avventura d'un povero cristiano*; *Severina* infatti, testo postumo, apparso nell'81, rimane sostanzialmente un abbozzo, forse fedele all'intenzione del
narratore nello svolgimento del tema (intendiamo il
nudo intreccio, l'aspetto piú elementare della trama),
ma non certo nello stile.
In una post-fazione la moglie dell'autore, Darina,
spiega lo stato di elaborazione del manoscritto e dei
materiali preparatori e dichiara i propri interventi di
sutura e di integrazione (in quest'ultimo caso si tratta
quasi sempre di autocitazioni, soprattutto del recupero
di brevi parti non utilizzate per *Il seme sotto la neve*).
Sinteticamente la *fabula*: Severina, una suora in crisi piú nei confronti dell'istituzione che della fede vera

[38] *Ibid.*, p. 38.

e propria, ma infine decisa per una lettura sociale e
immanente della figura di Cristo e dei suoi insegnamen-
ti, lascia il Convento dopo aver assistito al massacro di
un giovane da parte della forza pubblica durante una
manifestazione. Seguono vicende diversive: il ritorno
a casa in un villaggio dell'Abruzzo — e qui ci sono
le pagine piú compiute e suggestive —; il tentativo di
trovare lavoro presso un equivoco « Istituto Bellavista »:
in questo capitolo viene abbozzata la satira degli enti
pubblici di assistenza. Il romanzo riprende la sua linea
maggiore quando la giovane, ormai ex suora, si trasferisce all'Aquila. Nella città si trova subito coinvolta in
una dimostrazione congiunta di operai e studenti; ferita gravemente dalla polizia muore, dopo aver donato
i propri organi per trapianti.

È evidente l'intenzione di costituire Severina come
una nuova portavoce delle istanze siloniane piú tipiche,
e già prima dichiarate ripetutamente, di un socialismo
cioè senza partito e di un cristianesimo senza Chiesa,
con l'aggancio tematico alla contestazione e alle parole
d'ordine operaie e studentesche del '68 (ma sempre in
chiave pacifista e non violenta; allora le posizioni piú
affini a questo Silone sono probabilmente certa teoria
e prassi delle comunità di base e dei cristiani per il socialismo). Lo sforzo di vivere la contemporaneità (non
mancano neppure spunti, mi sembra, d'impronta fem-
minista; e il modello di Severina è la grande Simone
Weil) non appare però riuscito, proprio per la malattia
e la conseguente stanchezza del romanziere, e quindi
il libro, tolti alcuni tratti molto intensi, resta piú una
testimonianza che un risultato finito. Integrazioni importanti e assai utili per la comprensione in generale
di Silone rimangono però la bella introduzione di Geno Pampaloni, la già richiamata post-fazione di Darina
Silone (*Storia di un manoscritto*; cui segue *Le ultime
ore di I. Silone*) e una breve pagina testamentale dello
scrittore.

È senza dubbio significativo concludere questa breve scheda su *Severina*, citando la fine di *et in hora mortis nostrae*, vero sigillo del pensiero siloniano.

Scrive Silone, dopo aver dichiarato la propria profonda vicinanza a Cristo, ma non alla sua Chiesa, di non desiderare funerali religiosi, per non far equivocare su un presunto ritorno in grembo alla Istituzione. Il motivo resta quello di sempre:

> « Mi sembra che sulle verità cristiane essenziali si è sovrapposta nel corso dei secoli un'elaborazione teologica e liturgica d'origine storica che le ha rese irriconoscibili. Il cristianesimo ufficiale è diventato una ideologia ».[39]

[39] I. Silone, *Severina*, Milano, Mondadori, 1981.

III

TEMI E MOTIVI

Il mondo offeso

Ci sono alcune immagini privilegiate e ricorrenti cui lo scrittore dà il compito di significare in maniera particolarmente intensa la fenomenologia della miseria, dello sfruttamento dell'uomo sull'uomo; come metafora riassuntiva scegliamo una suggestiva credenza, portata avanti dai personaggi positivi di libro in libro, che l'agonia di Cristo continua e che il mondo è irredento perché Cristo è ancora morente sulla Croce e quindi la resurrezione deve ancora compiersi:

> « Da queste parti c'è gente la quale crede invece ch'Egli sia ancora in croce, tutt'ora agonizzante – dice gravemente mastro Eutimio. V'è gente la quale è convinta che Egli non è mai morto, mai risorto, ch'Egli è ancora in agonia, su questa terra. E cosí si spiegherebbero molte cose ».[1]

Il dolore perciò del mondo offeso di Silone è sotto il segno di una teologia della storia che aspetta ancora la redenzione e che ha come speranza di cambiamento, di giustizia, il compimento dell'agonia di Cristo e poi l'avvento del suo regno.

[1] *Il seme sotto la neve*, cit., p. 319.

Per documentare tutt'altra direzione scegliamo, come simbolo della società dei galantuomini, il banchetto, tempo e luogo privilegiato, nel quale, in tutti i romanzi, si riuniscono i padroni cioè i borghesi arricchiti, gli ex notabili democratici, i fascisti; in genere il raduno avviene dopo qualche ingiustizia particolarmente fruttuosa (il pranzo dell'Impresario in *Fontamara*, il pranzo di Calabasce nel *Seme sotto la neve*, il pranzo dopo la proclamazione della guerra in *Vino e pane*). Il pranzo sempre pletorico e spropositato è un simbolo a doppio livello; in primo luogo come esibizione, consumo, sperpero di ben di Dio in una contrada, alla lettera, di morti di fame ha senso di insolente provocazione, di prepotente offesa; in secondo luogo, come sfogo alla voracità, è fin troppo trasparente (questa gente che mangia e non solo cibo ma lavoro, fatica, beni degli altri), come nel film di Buñuel, *Il fascino discreto della borghesia*. La grottesca enfatizzazione del « mangiare » si ha nel banchetto che segue il discorso del Duce proclamante la guerra d'Africa; all'ingordigia mussoliniana, tra i fumi del vino e l'ebetudine della carne, si risponde, dal coro degli uditori, in delirio geo-politico (da *Vino e pane*):

« Egli si lisciò e rizzò i baffi, si ravviò i capelli, diede uno sguardo circolare alla folla e sorrise. Il suo viso era trasfigurato. Alzò le braccia verso il cielo stellato e cominciò con la sua calda voce di baritono: – Discendenti di Roma eterna, o tu, popolo mio –. L'oratore salutò gli artigiani e i cafoni ubriachi come un'assemblea di re in esilio. Nei fumi del vino egli creava i ricordi di antiche glorie. – Ditemi, chi portò la civiltà e la cultura nel Mediterraneo e in Africa? – Noi – risposero alcune voci. – Ma i frutti sono stati colti da altri – gridò l'oratore. – Ditemi ancora chi portò e costruí paesi e città là dove, assieme a cinghiali e cervi, pascolavano uomini primitivi? – Noi –

risposero alcune voci. – Ma i frutti sono stati
colti da altri. Ditemi ancora, chi scoprí l'America? – Questa volta s'alzarono tutti in piedi e
gridarono: – Noi, noi, noi. – Ma gli altri se la
godono. Ditemi ancora, chi ha inventato l'elet-
tricità, il telegrafo senza fili, tutte le altre mera-
viglie della civiltà moderna? – Noi – risposero
alcune voci. – Ma gli altri se le godono. Ditemi
infine, chi è emigrato in tutti i paesi del mondo
per scavare miniere, costruire ponti, tracciare
strade, prosciugare paludi? – Anche questa volta
tutti si alzarono in piedi e urlarono: – Noi, noi,
noi. – Ora ecco spiegate le origini della nostra
nobile povertà. Ma, dopo secoli d'umiliazione e di
ingiustizie, la Divina Provvidenza ha inviato al
nostro paese l'Uomo che dovrà recuperarci tutto
quello che ci spetta e che gli altri hanno usurpato.
– A Tunisi, a Malta, a Nizza – gridarono alcune
voci. – A Nuova York, in America, in California –
gridarono altre voci. – A San Paolo, all'Avenida
Paulista, all'Avenida Angelica – gridava un vecchio. – A Buenos Aires – gridavano altri ».[2]

D'altra parte l'importanza tematica del pranzo è veri-
ficata anche dalla violenza deformante di Silone attorno
alle fattezze dei commensali che vengono tutti appa-
rentati a bestie; la loro è ingordigia senza freni di
bestie rapaci (qui Silone svela le sue straordinarie capacità di caricaturista, di descrittore satirico, alla pari di
Georg Grosz, per intenderci, con la sua serie di capi-
talisti tedeschi dalla faccia di maiale e colti nelle pose
piú indecenti). Vediamo gli invitati (qui è chiaramente
il contrario che nella parabola evangelica) al banchetto
centrale del *Seme sotto la neve*, banchetto nel quale si
dovrebbe festeggiare una assai redditizia vittoria per
appalti stradali: il padrone di casa, Calabasce: « [...] è
un tanghero tarchiato bassotto violento [...] le sue narici

[2] *Vino e pane*, cit., pp. 277-78.

hanno l'ampiezza di quelle di un bue [...] in una gara
diocesana ricevette un premio e il titolo di Sfrosciato »;
la moglie Maria Peppina: « [...] una campagnola bianca
rossa rotondetta, d'età molto piú giovane del marito,
ha la vita a chitarra, le ciglie nere arcuate, gli occhi
lucenti [...] il tipo stesso della venere paesana [...]
Calabasce n'è cosí fiero come delle sue vacche »; il
pretore don Achille Verdura: « [...] attraversa una crisi
acuta d'itterizia, è giallo come nessun cinese fu mai,
giallo-zafferano; la sua barbetta d'ebano, a coda di ron-
dine, e i capelli alla Mascagni, nerissimi e lucidi di
pomata, fanno un contrasto meraviglioso su quell'oro
massiccio. Egli fa l'impressione d'un idolo d'una religione di parrucchieri »; il prete don Piccirilli: « pas-
seggia su e giú, fa il giro della tavola, con una anda-
tura stanca e dinoccolata di pinguino panciuto »; don
Filippino: « [...] detto anche lo Svolazzo a causa della
sua maniera artistica di firmare, è afflitto da un singulto tenace [...] A intervalli regolari il singulto lo fa
sobbalzare, come se una mano invisibile gli assestasse
un pugno sotto il mento [...] ogni singulto scuote i
presenti come per un simultaneo contatto elettrico »;
donna Teodolinda: « alla destra del padrone di casa è
seduta la moglie del pretore, donna Teodolinda, una
signora disinvolta e gentile, bella rosea grassa e rasata
di fresco che sembra un tonno »; donna Sarafina: « alla
sinistra c'è donna Sarafina, la moglie del farmacista,
che fa la dama del biscottino, e sorride manierosa
sorniona allusiva; sotto il mento le pende una pappa-
gorgia che somiglia ai bargigli del tacchino ». La descrizione continua, ma concludiamo col riassunto registico
di Silone:

« [...] L'Incompresa bezzica svogliata e distratta,
lo Scoiattolo spilluzzica e occhieggia con la pa-
drona, piú in là il Pinguino ingurgita, i Conigli

brucano, l'Idolo d'oro rumina come un becco, il Tonno boccheggia ».[3]

Evidente la matrice surrealistica, il trattamento sia a carica simbolica che a carica realistica provoca un continuo movimento di dissolvenza e ricostruzione dell'immagine: dalla persona alla bestia e viceversa, nella bestia la persona e viceversa. Le figure dei protagonisti hanno la pesantezza di mascheroni, veramente abitanti di un mondo non redento (oltre a Grosz è una galleria di grotteschi che fa pensare a Bosch e, sempre in termini di precedenti, alla potente *grossiété* della satira e della farsa indigena). Alla fine di questa, per cosí dire, fattoria degli animali, di questa adunanza pre-umana, appare un personaggio sinistro, a metà tra l'operetta e la tragedia, per metà ritratto di Mussolini e per metà di Hitler, don Marcantonio (questo nome classicheggiante da tribuno è bene una premessa calzante al tipo):

« La sua faccia è ora bianca gessosa come quella dei busti dei cimiteri, gli occhi spiritati, la mascella a ferro di cavallo, protesa e come smontabile; egli si tocca spesso, quasi per verificare se è ancora a posto, il mostaccino sotto il naso, tagliato a forma di farfalla, una farfalletta nera tra la bocca e le narici, e la ciocca di capelli sulla fronte, e ogni volta la sua soddisfazione è evidente ».[4]

Nel brodo di Maria Peppina galleggia la pasta in forma di stelline e lettere dell'alfabeto; la trovata è tutt'altro che estemporanea: la scrittura e la cultura in generale servono giusto a garantire e a legittimare l'appetito dei potenti, sono quindi uno dei metodi del sopruso, le vedremo apparire nei romanzi come garanzia (indecifrabile e quindi indiscutibile per i cafoni)

---

[3] *Il seme sotto la neve*, cit., pp. 401-29.
[4] *Ibid.*

dell'imbroglio e come propagazione del falso. Tra l'altro
nel banchetto appena narrato per disteso c'è un pretore, che dovrebbe amministrare la giustizia; un prete,
che dovrebbe spiegare la parola di Dio; un maestro di
scuola, che dovrebbe insegnare la verità; inutile dire
che il loro compito è invece quello rispettivamente di
servire, coonestare, insegnare l'ideologia della classe
dominante: piccoli intellettuali alle dipendenze dei padroni, che usano la loro cultura come estensione del-
l'oppressione. L'uso oppressivo della cultura, strutturale
in tutto il mondo romanzesco di Silone, è particolarmente visibile in *Fontamara* e si esercita attorno al
nucleo motore del libro: il furto dell'acqua. I fontamaresi vengono convinti a sottoscrivere una petizione
(ma si ricordi che non sanno leggere e quindi non com-
prendono ciò che firmano) la quale dice:

> « La petizione chiede al governo nell'"interesse
> superiore della produzione" che il ruscello venga
> deviato dalle terre insufficientemente coltivate dei
> Fontamaresi verso le terre del capoluogo "i cui
> proprietari possono dedicarvi maggiori capitali" ».[5]

Quindi il corteo delle donne che si erano recate
tumultuosamente a protestare viene sedato con un
calembour di parole e miserevolmente frodato:

> « Queste donne pretendono che la metà del ru-
> scello non basta per irrigare le loro terre. Esse
> vogliono piú della metà, almeno cosí credo di
> interpretare i loro desideri. Esiste perciò un solo
> accomodamento possibile. Bisogna lasciare al po-
> destà i tre quarti dell'acqua del ruscello e i tre
> quarti dell'acqua che resta saranno per i Fonta-
> maresi. Cosí gli uni e gli altri avranno tre quarti,
> cioè, un po' piú della metà. Capisco... che la mia

⁵ *Fontamara*, cit., pp. 85-89.

proposta danneggia enormemente il podestà, ma
io faccio appello al suo buon cuore di filantropo
e di benefattore ».[6]

Ancora l'usurpazione viene perfezionata nel capitolo
sesto, sempre con l'uso truffaldino della parola da parte
delle autorità; i fontamaresi danno l'impressione di un
branco di vitelli invano recalcitranti, quando s'accor-
gono d'èssere condotti al macello (la perdita dell'acqua
significava l'inaridimento dei campi e quindi la disperazione). Ma si veda il crescendo della scena e la conclusione:

« Cinquant'anni – propose l'Impresario [...] Quarant'anni – propose don Abbacchio. Trentacinque
anni – propose don Pelino. Venticinque anni –
propose il notaio [...]. Ogni nuova proposta era
accolta dalle nostre grida di rifiuto [...] Final-
mente entrò in azione anche l'omino dalla fascia
tricolore che diede ordine ai carabinieri di allon-
tanarci [...]. Piú tardi ci dissero che la perdita
dell'acqua sarebbe durata dieci lustri e che questa
proposta sarebbe stata avanzata in nostro favore
da don Circostanza; ma nessuno di noi sapeva
quanti mesi o quanti anni facessero dieci lustri ».[7]

Come la polemica contro la Chiesa si è emblema-
tizzata – l'abbiamo visto – nell'espressione: « le chiese
sono diventate banche »; cosí la polemica contro la cultura e la scrittura, si emblematizza nella diffidenza verso
la « carta » simbolo addirittura dell'imbroglio, spau-
racchio ricorrente nelle storie di Silone; i cafoni cercano di sfuggirne la persecuzione e di neutralizzarla
degradandola: « un pezzo di carta in casa, fa sempre
comodo, per la pulizia personale »; questa espressione,

[6] *Ibid.*
[7] *Ibid.*, pp. 189-97.

con varianti minime, è tipica. Per la funzione di idolo
negativo, da esorcizzare, della carta, si rammenti il tra-
gicomico episodio di Venanzio e l'Archivio, in *Vino e
pane* e ancora per la profonda convinzione del carattere insincero della pagina scritta, del suo essere limite
a una comunicazione autentica, a cuore aperto, tra gli
uomini, si rammenti il comportamento di Simone-la
faina, nel *Seme sotto la neve*, verso le lettere: neppure
aperte, lasciate marcire nella fossa del letamaio. E si
potrebbe continuare, arrivare fino a Celestino V, alla
sua anticultura, ma tratteremo di lui piú ampiamente
nell'analisi della rappresentazione della tematica religiosa. Ad incupire questo quadro di ingiustizia si ag-
giunge il tradimento e la trasformazione da forze libe-
ratrici in forze conservatrici o tiranniche della Chiesa
cattolica e del movimento comunista. Nell'opera di
Silone il personaggio-prete è uno dei meglio caratteriz-
zati; in questa sezione della nostra ricerca tematica
dobbiamo analizzare quelli in rilievo negativo: dal
don Abbacchio di *Fontamara* « fiacco timoroso [...] da
non fidarsi »; al don Piccirilli di *Vino e pane*, spia del
vescovo, che appare anche nel *Seme sotto la neve*, come
convitato-alleato di Calabasce; da don Marco ancora
del *Seme sotto la neve*, angosciato ma incapace di rivolta; allo stupido eppur criminale don Costantino, di
Una manciata di more:

> « Egli era rimasto famoso per un suo ciclo di pre-
> diche su "l'Uomo della provvidenza e la guerra
> Santa contro il Negus" all'epoca dell'ultima guer-
> ra d'Africa. Furono prediche di cui s'occuparono
> perfino i giornali. Egli aveva difeso la legittimità,
> anzi santità, dell'uso dei gas asfissianti, se pote-
> vano servire a conquistare il mondo, a eliminare
> il bolscevismo e a costringere gli infedeli a rico-
> noscere la supremazia della vera Chiesa ».[8]

---

[8] *Una manciata di more*, cit., pp. 106-107.

Né si dimentichi il don Franco del *Segreto di Luca*, prete-costruttore. La critica corrosiva riguarda non solo figure del basso clero, ma, anzi, anche i papi: Pio XI è ribattezzato Ponzio XI e teniamo ben presente il Bonifacio VIII dell'*Avventura d'un povero cristiano* in cui, come in un modello, sono condensati tutti gli aspetti della prassi ecclesiastica che Silone rifiuta. Silone condanna ogni forma di mondanizzazione della Chiesa e ogni forma di compromissione col potere, quindi i modi visibili di questa alleanza: benedizioni di bandiere, di sedi del partito fascista, benedizione delle guerre fasciste e cosí via; secondo Silone durante il ventennio fascista grave fu il cedimento e l'avvilimento della Chiesa, ma diamogli la parola:

« In quel periodo di confusione massima, di miseria e disordini sociali, di tradimenti, di violenze, di delitti impuniti e d'illegalità d'ogni specie, accadeva che le lettere pastorali dei vescovi ai fedeli persistessero a trattare invece, di preferenza, i temi dell'abbigliamento licenzioso delle donne, dei bagni promiscui sulle spiagge, dei nuovi balli d'origine esotica e del tradizionale turpiloquio. Quel menare il can per l'aia, da parte di pastori che avevano sempre rivendicato la guida morale del gregge, era uno scandalo insopportabile. Come si poteva rimanere in una simile Chiesa? ».[9]

Si veda anche – per trovare le due posizioni, positiva e negativa, contrapposte – il colloquio fra don Benedetto e don Piccirilli che apre *Vino e pane*. E per concludere in questa rassegna di preti non esemplari ricordiamo il pittoresco don Tarocchi del *Seme sotto la neve*, grande cacciatore, grande amatore, grande mangiatore e, in stagioni malagevoli, levatrice (dice Silone che don Giustino Tarocchi in questa ultima funzione

---

[9] *L'avventura d'un povero cristiano*, cit., p. 37.

univa la mallevadoria del prete alla tenerezza del padre, visto che spesso erano figli suoi); anche lui, come il don Abbacchio di *Fontamara*, pittoresco ma vile, anzi – essendo della famiglia principale del paese – garante di soprusi. Per l'insistenza di Silone sul personaggio-prete, ricordiamo ancora il racconto autobiografico, *Incontro con uno strano prete*, di *Uscita di sicurezza* in cui viene narrato l'incontro con don Orione: ne risulta un'affascinante figura di uomo di Dio ed è forse, come si diceva, l'immagine prima del prete, sottesa per consenso o dissenso, somiglianza o diversità, a ogni successiva personificazione ecclesiastica, (nello stesso racconto si veda, in opposizione, la fredda e insensibile realtà del padre superiore del Collegio in cui lo scrittore adolescente era stato messo dopo la perdita di tutti i parenti in seguito al terremoto).

Accanto all'immagine negativa della Chiesa cattolica, almeno nel suo aspetto istituzionale-storico, si pone il passaggio da partito di perseguitati a partito di persecutori del movimento comunista cui lo scrittore aveva aderito fin dalla sua fondazione nel 1921. Si tratta di un argomento ricorrente in maniera drammatica e con insistenza ossessiva: si intuisce che è stato il trauma fondamentale della vita di Silone la scoperta dell'inadempienza del PCI alle sue motivazioni iniziali e quindi la necessità di abbandonarlo; lo scrittore vi batte e ribatte continuamente, analizza l'avvenimento sotto tutte le luci possibili e sempre la delusione e l'amarezza sono cosí grandi che Silone addirittura perde ogni fiducia in qualsiasi discorso politico organico, di strutturazione di idee e di uomini in associazioni collettive per raggiungere degli scopi, con la conseguenza di un ribaltamento sul piano dell'antipolitica, dell'anarchia, dell'utopia.

La degenerazione del Partito è andata di pari passo – secondo Silone – con la sua burocratizzazione, con la perdita del senso critico, con l'intolleranza nei confronti di ogni dissidenza, col voler sottoporre monoliticamente ogni individualità alla ragione collettiva (identificata naturalmente con la volontà dell'apparato del PC russo e, in ultima analisi, di Stalin); ne conseguono il fascismo rosso, la persecuzione dei compagni sui compagni, la lotta solo a favore dei poveri iscritti al partito, non di tutti i poveri.

La storia della rottura col partito ha i suoi momenti-chiave in *Vino e pane* e in *Una manciata di more*; in *Vino e pane* il lungo e drammatico colloquio col violinista Uliva (in realtà la coscienza critica di Pietro Spina) mette a fuoco la realtà del comunismo nella versione staliniana; dottrina ufficiale obbligatoria («una ortodossia totalitaria [...] si servirà di tutti i mezzi, dal cinema al terrore, per distruggere ogni eresia e tirannizzare il pensiero individuale »):

«Forse non è colpa vostra [...] ma dell'ingranaggio che vi travolge. Ogni idea nuova, per propagarsi, si cristallizza in formule; per conservarsi si affida a un corpo di interpreti, prudentemente reclutato, talvolta anche appositamente stipendiato, e, a ogni buon conto, sottoposto a un'autorità superiore, incaricata di sciogliere i dubbi e di reprimere le deviazioni. Cosí ogni nuova idea finisce sempre col diventare una idea fissa, immobile, sorpassata. Quando questa idea diventa dottrina ufficiale dello Stato, allora non c'è piú scampo. Un falegname e uno zappaterra possono, forse, anche in regime di ortodossia totalitaria, sistemarsi, mangiare, digerire, procreare in pace, farsi i fatti loro; ma specialmente per un intellettuale non c'è scampo. Egli deve piegarsi, entrare nel clero dominante, oppure rassegnarsi a essere affamato, e alla prima occasione eliminato ».[10]

Una manciata di more mette in parallelo due episodi

[10] *Vino e pane*, cit., pp. 243-44.

di persecuzione: il racconto di una compagna polacca
al protagonista Rocco de Donatis e quindi la persecuzione dello stesso Rocco, uscito dal partito, e dei suoi
amici Martino e Lazzaro. Questi episodi rappresentano,
in un certo senso, l'attuazione della prassi poliziesca cosí
vivamente denunciata, anzi urlata senza mezzi termini in
Vino e pane (è qui il caso di ricordare *Buio a mezzogiorno* di Arthur Koestler). Comunque la degradazione del
PCI riguarda direttamente l'Italia dopo la liberazione;
durante il ventennio nel paese agisce una forza reaziona-
ria, non in quanto deviante, ma oppressiva per vocazione, per scelte di classe, per uso di metodi: è il fascismo.
Nella narrativa di Silone il fascismo appare come malco-
stume dilagante, come sopruso legalizzato, come elemento inquinante che intride a macchia d'olio tutta la società, come cattivo gusto, volgarità, prepotenza; in sintesi
come il negativo sistematizzato. Dicono gli abitanti di
Fontamara, il romanzo primo e ancora il piú convincente di Silone:

> « I militi erano venuti a Fontamara e avevano
> oltraggiato varie donne; questa era stata una pre-
> potenza odiosa, però in sé assai comprensibile.
> Ma l'avevano fatta in nome della legge e alla pre-
> senza d'un commissario di polizia, e questo non
> era comprensibile. A Fucino i fitti dei piccoli fitta-
> voli erano stati rialzati e quelli dei grossi fittavoli
> ribassati, e questo era, per cosí dire, naturale. Ma
> la proposta l'aveva fatta il rappresentante dei pic-
> coli fittavoli, e questo non era affatto naturale.
> I cosiddetti fascisti, a varie riprese, come si udiva
> raccontare, avevano bastonato, ferito e anche uc-
> ciso persone contro le quali la giustizia non aveva
> nulla da dire e solo perché davano noia all'Impre-
> sario, e questo poteva anche sembrare naturale.
> Ma i feritori e gli assassini erano stati premiati
> dalle autorità, e questo era inspiegabile. Si può
> dire insomma che tutti i guai che da qualche

tempo ci capitavano, esaminati a uno a uno, non erano nuovi e di essi si potevano trovare numerosi esempi nelle storie del passato. Ma il modo come ci capitavano era nuovo e assurdo e non sapevamo darcene una qualsiasi spiegazione ».[11]

I fascisti torturano e uccidono Berardo Viola, usano violenza ad Annina, torturano scherniscono e uccidono Luigi Murica; quindi nel romanzo *Vino e pane* la violenza civile del fascismo diventa imperialismo con la proclamazione della guerra d'Abissinia: risalta evidente la natura del regime portatore dell'istinto di morte (sempre in *Fontamara* appaiono quasi misteriose e malefiche presenze, i morti-vivi con la camicia nera e il gagliardetto che reca dipinto il teschio). I morti-vivi saranno quelli che mitraglieranno il paese, stupreranno le donne, irrideranno gli uomini:

« Questi uomini in camicia nera, d'altronde noi li conoscevamo. Per farsi coraggio essi avevano bisogno di venire di notte. La maggior parte puzzavano di vino, eppure a guardarli da vicino, negli occhi, non osavano sostenere lo sguardo. Anche loro erano povera gente. Ma una categoria speciale di povera gente, senza terra, senza mestiere, o con molti mestieri, che è lo stesso, ribelli al lavoro pesante; troppo deboli e vili per ribellarsi ai ricchi e alle autorità, essi preferivano di servirli per ottenere il permesso di rubare e opprimere gli altri poveri, i cafoni, i fittavoli, i piccoli proprietari. Incontrandoli per strada e di giorno, essi erano umili e ossequiosi, di notte e in gruppo cattivi, malvagi, traditori. Sempre essi erano stati al servizio di chi comanda e sempre lo saranno. Ma il loro raggruppamento in un esercito speciale, con una divisa speciale, e un armamento speciale,

[11] *Fontamara*, cit., p. 173.

era una novità di pochi anni. Sono essi i cosid-
detti fascisti ».[12]

Saranno gli stessi che organizzeranno in *Vino e pane*
la mostra dell'Abissinia, al livello piú becero e piú
tremendo di colonialismo e razzismo: « Per vedere si
pagavano dieci centesimi [...] Avvicinando un occhio
alle lenti, si vedevano donne abissine, con le gambe
nude e pelose e i seni protuberanti ».

La piattaforma del dolore, cui convergono tutti i
soprusi e le oppressioni dell'Abruzzo siloniano, è la terribile miseria economica in ogni suo aspetto: la povertà
assoluta delle case, la superstizione generalizzata, la
durezza incredibile del lavoro, le donne ridotte a fat-
trici e deformate dai parti, la rissosità selvatica della
gente, la sua totale ignoranza. Ecco una geografia dei
paesi della narrativa di Silone, il suo paesaggio urbano.

Fontamara:

« [...] un centinaio di casucce quasi tutte a un
piano, irregolari, informi, annerite dal tempo e
sgretolate dal vento, dalla pioggia, dagli incendi,
coi tetti malcoperti da tegole e rottami d'ogni
sorta. La maggior parte di quelle catapecchie non
hanno che un'apertura la quale serve da porta,
da finestra e da camino. Nell'interno, per lo piú
senza pavimento, con i muri a secco, abitano, dor-
mono, mangiano, procreano, talvolta nello stesso
vano, gli uomini, le donne, i loro figli, le capre,
le galline, i porci, gli asini ».[13]

Pietrasecca:

« [...] una sessantina di casette affumicate e scre-
polate, di cui una parte avevano le porte e le

[12] *Ibid.*, p. 160.
[13] *Ibid.*, p. 20.

finestrelle chiuse, essendo probabilmente deserte. Il villaggio appariva costruito in una specie d'imbuto, incavato nella chiusura della valle. Non si scorgevano che due sole case civili ».[14]

Orta:

« All'entrata del paese anche il fango diventa domestico e umano. Il vicoletto è fiancheggiato da stalle fetide e casucce imputridite, contro le quali sono addossati mucchi di letame resti di cucina spazzatura cocci altri rottami, mentre nel mezzo della via, che è costruita a forma di basto rovesciato, scola un rigagnolo nerastro che trasporta con sé detriti in disfacimento ».[15]

Acquaviva:

« Lungo il corso s'incontrano bianchi edifici pubblici, con le facciate nello stile neo-coloniale e alcune belle case patrizie, disabitate incatenate puntellate perché non crollino [...] Faustina prende Pietro per un braccio e l'allontana in fretta, infilando il primo vicolo che capita. È meno un vicolo che un seguito di pozzanghere; a destra e a sinistra sono casupole fetide, mura imputridite, tuguri piccoli neri che sembrano immondezzai, sulla porta donne come oscure larve ».[16]

Si potrebbe estendere la documentazione della fenomenologia della miseria, ma crediamo d'avere fornito testimonianze piú che sufficienti; e d'aver dato convincente ragione del titolo, vittoriniano, di questo paragrafo, *Il mondo offeso*.

[14] *Vino e pane*, cit., pp. 92-93.
[15] *Il seme sotto la neve*, cit., p. 17.
[16] *Ibid.*, pp. 483-84.

Il mondo liberato

Bisogna lottare di persona per la libertà; questo capi-tolo della lettura tematica di Silone può farsi ancora riassumere da una notissima proposta di Vittorini, con-tenuta nelle prime pagine di *Conversazione in Sicilia*: passare dagli astratti furori ai nuovi doveri. Possiamo introdurre con l'elogio della libertà, messo in bocca da Silone a Pietro Spina, il protagonista piú rilevante dei romanzi dell'esilio (non si manchi tuttavia di sotto-lineare l'eccesso di enfasi):

> « La libertà non è una cosa che si possa ricevere in regalo. Si può vivere anche in paese di ditta-tura ed essere libero, a una semplice condizione, basta lottare contro la dittatura. L'uomo che pensa con la propria testa e conserva il suo cuore incor-rotto è libero. L'uomo che lotta per ciò che egli ritiene giusto, è libero. Per contro, si può vivere nel paese piú democratico della terra, ma se si è interiormente pigri, ottusi, servili, non si è liberi; malgrado l'assenza di ogni coercizione violenta, si è schiavi. Questo è il male, non bisogna implo-rare la propria libertà dagli altri. La libertà biso-gna prendersela, ognuno la porzione che può ».[17]

Un critico – ci sembra – statunitense, quando Silone ebbe pubblicato *La scuola dei dittatori*, nella recen-sione positiva si augurò che lo scrittore facesse seguire un libro-antidoto, una specie di scuola della democra-zia o della libertà; ma un libro del genere esiste già come vena ora esplicita ora sotterranea di tutti i romanzi siloniani (in prospettive accettabili o discutibili, è ovvio). Innanzitutto ribellarsi; in *Fontamara* (lo ripe-tiamo: il piú necessario dei romanzi di Silone, senza del quale la storia non solo letteraria ma anche civile

---

[17] *Vino e pane*, cit., p. 55.

del nostro Novecento risulterebbe piú povera) Berardo
traccia una strategia e una tattica della ribellione o
fatta con l'astuzia o rispondendo alla guerra con la
guerra. Con l'astuzia:

> « I giornalieri che si mettono a discutere col pa-
> drone, perdono tempo. La paga diminuisce ugual-
> mente. Un padrone non si fa mai commuovere
> da ragionamenti. Un padrone si regola secondo
> l'interesse. Non diminuisce la paga solo se si ac-
> corge che va contro i suoi interessi. In che modo?
> In un modo semplice. Per la pulitura del grano,
> la paga dei ragazzi è stata scesa da sette a cinque
> lire. Dietro mio consiglio, i ragazzi non hanno
> protestato, ma invece di sradicare la gramigna,
> l'hanno semplicemente ricoperta di terra. Dopo
> le piogge d'aprile i padroni si sono avvisti che la
> gramigna era piú alta del grano. Quel poco che
> credevano di aver guadagnato diminuendo la paga,
> lo perderanno dieci volte fra alcune settimane,
> quando trebbieranno. La paga dei mietitori dimi-
> nuirà. È inutile protestare. È inutile discutere.
> Non c'è una sola maniera di mietere il grano, ma
> dieci maniere: ogni maniera corrisponde a un
> determinato salario. Il salario è buono? La mieti-
> tura sarà buona. Il salario è cattivo? La mietitura
> sarà pessima ».[18]

Rispondendo alla guerra con la guerra:

> « Mettetegli fuoco alla conceria e vi restituirà
> l'acqua senza discutere. E se non capisce l'argo-
> mento mettetegli fuoco al deposito dei legnami.
> E se non gli basta, con una mina fategli saltare
> la fornace dei mattoni. E se è un idiota e con-
> tinua a non capire, bruciategli la villa, di notte,

---

[18] *Fontamara*, cit., pp. 104-105.

quando è a letto con donna Rosalia. Solo cosí riavrete l'acqua. Se non lo fate, verrà il giorno che l'Impresario vi prenderà le figlie e le venderà al mercato. E farà bene, ma cosa valgono le vostre figlie? ».[19]

Questa chiarezza e decisione di Berardo, che si esprime allo stesso livello in altri episodi, lo fanno capo rivoluzionario esemplare; soprattutto alla fine quando accetta consapevolmente di morire per cementare l'unità di classe del popolo fontamarese e per servire da bandiera a tutti i cafoni oppressi. Berardo capisce bene che allo sfruttamento di classe si può rispondere solo con la lotta di popolo. In *Vino e pane* e ne *Il seme sotto la neve* appare la fase precedente alla ribellione e cioè la vita cospirativa, l'attività clandestina; sotto le spoglie rispettivamente di don Paolo Spada e di Saverio Spina, Pietro Spina cerca di tenere vivo nei cafoni lo spirito di sovversione, la speranza di un mutamento radicale. Don Paolo Spada, nel suo travestimento da prete, media parabole rivoluzionarie, interpreta la storia sacra e la storia profana alla luce di situazioni d'attualità (si leggano le parabole della vita dei martiri e delle carte da gioco); alimenta inoltre, con le sue scritte murarie contro la guerra d'Abissinia, la voce del dissenso, consapevole che – come dice espressamente – siccome la dittatura si regge sull'unanimità, un'unica opposizione mette in pericolo l'ordine pubblico, crea il panico e ravviva il fuoco sotto la cenere: « Tra i cafoni corre il fuoco. State attenti, il fuoco di giorno non si vede, ma la notte luccica ».

Un uso analogo che oggi chiameremmo di controinformazione, di guerriglia murale, appare in *Il seme sotto la neve*: a tutte le scritte e gli slogans del regime viene aggiunto un punto interrogativo; sulla facciata del municipio: *Lo stato è tutto?*; sulla lapide del monu-

[19] *Ibid.*

mento ai caduti: *Morirono per la patria?*; sulla facciata del vecchio mulino: *Credere? Obbedire? Combattere?*. Inutile dire l'effetto di stupore e di agitazione
che provoca un simile fatto. In *Vino e pane* e in *Una
manciata di more* la ribellione si esprime anche come
rottura dolorosa col Partito comunista (all'origine delle
elaborazioni romanzesche c'è la nota vicenda autobiografica narrata nel celebre saggio *Uscita di sicurezza*,
oggi nella omonima raccolta); ancora in *Una manciata
di more* nella partecipazione del protagonista, Rocco,
alla Resistenza, quindi nella sua funzione di leader dei
contadini poveri e di guida all'occupazione dei campi;
infine, ne *La volpe e le camelie*, il giovane fascista spia
dell'OVRA, Cefalú, si suicida e riacquista tutta la sua
libertà morale. Ma, come già abbiamo. tentato di documentare nella lettura delle opere, il carattere piú singolare del mondo liberato di Silone è la sua forma
antipolitica e quindi la sua dimensione utopica; lo
scrittore prefigura una società in cui le leggi per rego-
lare i rapporti fra gli uomini siano ridotte al minimo
e ci si governi col Pater Noster; inoltre i rapporti con
il mondo naturale e tutto l'ambiente esterno siano di
tipo francescano, elementari ed essenziali. Silone vuole
ricondurre la società nei suoi termini piú semplici proprio per sfuggire quella corruzione e quell'immiseri-
mento – soprattutto la qualità oppressiva delle istituzioni e la durezza nel cuore degli uomini provocata
dal denaro – che l'attendono fatalmente appena cerca
di darsi strutture ideologiche; è noto che qui si appun-
tano le critiche piú fondate a Silone: lo si accusa di
pessimismo improduttivo, di fuga dalla storia degli
uomini. Lo scrittore ha in mente modelli monastici,
il personaggio riassuntivo di questa sua zona di pensiero è Celestino V; ma è ben possibile uscire dalla
molto ingenua e forse inattuale contrapposizione tra
compromissione mondana e isolamento ascetico, ricor-
rendo innanzitutto, per la fondazione esemplare, alle
parole di Gesú Cristo secondo le quali i cristiani, pur

non essendo del mondo, devono essere nel mondo; e per un richiamo di cronaca, come modello di comportamento da contrapporre a quello astratto, aristocratico, velleitario e rinunciatario, in fondo, di Silone citiamo quello di un monaco vero, l'abate Franzoni, superiore della comunità benedettina legata alla basilica di S. Paolo fuori le mura, a Roma, per il quale la scelta del monaco e comunque del cristiano è di vivere tra i poveri; in età passate tra i pastori e i contadini, oggi nelle periferie squallide sovrappopolate rumorose che il capitalismo crea attorno alle città. Ma, per dovere di obbiettività, bisogna dire che l'estremismo di Silone è soprattutto polemico e radicato su profonde delusioni personali; probabilmente la fuga dal mondo è in primo luogo dalle lusinghe del mondo (sono le tentazioni cui è sottoposto Gesú dal diavolo sulla torre del tempio: il potere, la ricchezza) piú che fuga dal mondo tout court, e lo scrittore ammetterà una terza via; certo che i suoi romanzi sono drastici al riguardo e paiono negarlo:

> « Tristezza di tutte le imprese che hanno come scopo dichiarato la salvezza del mondo. Paiono le trappole piú sicure per perdere se stesso [...]. È possibile partecipare alla vita politica, mettersi al servizio di un partito e rimanere sincero? La verità non è diventata, per me, una verità di partito? La giustizia, una giustizia di partito? L'interesse dell'organizzazione non ha finito col soverchiare, anche in me, tutti i valori morali, disprezzati come pregiudizi piccolo-borghesi, e non è diventato esso il valore supremo. Sarei dunque sfuggito all'opportunismo di una Chiesa in decadenza per cadere nel machiavellismo di una setta? Se queste sono incrinature pericolose e riflessioni da bandire dalla coscienza rivoluzionaria, come affrontare in buona fede i rischi della lotta cospirativa? ».[20]

[20] *Vino e pane*, cit., pp. 129-30.

Come conclusione equilibrata ci pare di dover accogliere il discorso di Silone al pari di un segnale di pericolo, della indicazione di un rischio; restano aperti tutti i problemi del « Che fare? » e qui – è apparso chiaramente – dissentiamo dalla soluzione di Silone; il modello dell'« eremita combattente » che Silone propone in una intervista al « Giorno » del 9 settembre 1966 non ci pare accettabile; concordiamo invece sostanzialmente con la recensione di Aggeo Savioli su « L'Unità » del 5 agosto 1969:

> « Ieri come oggi il problema non sembra essere quello del disimpegno della Chiesa dalla politica, ma piuttosto di un diverso tipo di impegno. I dialoghi tra Celestino e Bonifacio [...] sono quasi un colloquio tra sordi e le tensioni effettive del nostro tempo, dentro e fuori la Chiesa, vi si riflettono in misura molto modesta ».

L'immagine emblematica dell'utopia siloniana è detta bene per la prima volta in *Vino e pane*:

> « Mi parlasti una volta di un tuo sogno segreto: fare della conca del Fucino un Soviet e nominare Gesú presidente del Soviet ».[21]

L'immagine è puntualmente ribadita ne *La volpe e le camelie*, nel *Segreto di Luca*, nella *Tromba dei cafoni* (di *Uscita di sicurezza*). Nel *Segreto di Luca*:

> « Sopra la scansia dei maccheroni pendevano due oleografie a colori: una rappresentava la grande testa di Carlo Marx con la sua fulva criniera leonina, e l'altra Nostro Signore, vestito d'un lungo camice rosso, in atto di pronunziare il Sermone

---

[21] *Vino e pane*, cit., p. 204.

della Montagna. Beati gli assetati di giustizia c'era
scritto sotto ».[22]

Altrettanto significativo per la fusione di messiane-
simo laico e profetismo religioso nel *Seme sotto la neve*:
« Proletari di tutto il mondo unitevi, le ossa degli umili
esulteranno ». Non si tratta naturalmente di una scoperta di Silone; era una mitografia corrente nella cultura popolare, originale (era stata preceduta dall'altro binomio Garibaldi e Gesú Cristo); in Silone probabilmente anche derivata dal filantropismo, dal cristianesimo sociale dei grandi scrittori russi del secondo
Ottocento, in particolare Tolstoj e Dostoevskij (ne *La
tromba dei cafoni* lo scrittore appare lettore dei russi);
anzi la grande fortuna di Silone è probabilmente legata
dall'aver ridotto a livello di « midcult » i motivi degli
scrittori sopracitati, con una specie di processo di con-
densazione e di riduzione. Si aggiunga la tradizione del
socialismo italiano delle origini, turatiano e piú ancora
prampoliniano e costiano, appunto umanitario ed evangelico, una sorta di apostolato laico, pacifista, coope-
rativo, pre-politico. Quindi Silone prosegue nella sua
narrativa e varia e innova una tradizione letteraria e
una tradizione di costume; è da premettere che se gli
emblemi di partenza continuano a mantenere un loro
significato spesso gli sviluppi sono scadenti con lentis-
simo e interminabile ruminio di pagine (ci riferiamo
soprattutto a quel tentativo di imitazione francescana
e di vita da presepio che è la convivenza del terzetto
Simone-la faina, Pietro Spina, Infante, nella casa-pagliaio
appunto di Simone-la faina). La linea di *Fontamara*,
anche in questa direzione il romanzo piú convincente,
è invece diversa; possiamo vederla sempre attraverso
Berardo Viola. All'inizio Berardo viene introdotto come
l'uomo dell'amicizia e il leader naturale dei giovani;

[22] *Il segreto di Luca*, cit., p. 116.

a tre quarti del romanzo la sua condotta entra in crisi
e per un periodo regredisce alla norma chiusa del
« farsi i fatti suoi »; recupera quindi il valore dell'amicizia, anzi, di piú: il comportamento di morale individuale, ristretta solo al cerchio degli amici, diventa morale collettiva, comportamento politico; Berardo si rende
conto – perso per perso – di poter funzionare come
bandiera coesiva della sua gente, della sua classe e per
questo accetta di morire:

> « Se io tradisco [...] la dannazione di Fontamara
> sarà eterna. Se io tradisco passeranno ancora cen-
> tinaia di anni prima che una simile occasione si
> ripresenti. E se io muoio? Sarò il primo cafone
> che non muore per sé, ma per gli altri [...]. Sarà
> qualche cosa di nuovo. Un esempio nuovo. Il prin-
> cipio di qualche cosa del tutto nuova ».[23]

La vicenda di Berardo e di Fontamara viene diffusa
attraverso la stampa clandestina; i cafoni stessi di Fontamara stampano e diffondono il giornale « Che fare? »;
la coesione di classe e la conseguente lotta di classe si
sono allargate in cerchi sempre piú ampi. In *Vino e
pane* ci sono anche altri spunti di ribellione; Silone
recupera il filone storico del fascismo di sinistra, del
fascismo dei giovani; nel romanzo sono pochi studenti
e qualche contadino, con le idee molto confuse, ma
pronti per la seconda rivoluzione (si pensi – per una
storia degli intellettuali – al fascismo proletario di
Pratolini); che si lasciano però mistificare:

> « [...] per finire, il banchiere con molte caute peri-
> frasi, aveva esposto francamente il suo pensiero.
> Nei tempi moderni, ogni guerra, egli aveva detto,
> conduce fatalmente al socialismo di Stato e di-
> strugge la proprietà privata. Questo argomento

[23] *Fontamara*, cit., p. 247.

mi basta, gli aveva risposto Pompeo. Se è cosí,
andrò volontario per l'Impero sociale ».[24]

Lo studente Pompeo quindi parte volontario per la
guerra d'Abissinia. Si può confrontare la ben piú chiara
consapevolezza di Cesidio (nel *Seme sotto la neve*), dis-
sidente autorizzato perché battezzato « don Litro » e uf-
ficializzato come ubriaco comunale:

> « In occasione della partenza di un gruppo di ri-
> chiamati per la guerra d'Africa, ci fu anche qui
> una specie di corteo d'accompagnamento alla sta-
> zione. Nella mia qualifica di ubbriaco comunale,
> non ero costretto a essere presente; ma volli ugual-
> mente andarci perché, tra gli altri, partiva pure
> il fidanzato di Carmela, un buon ragazzo. Dal fine-
> strino del treno egli mi chiese scherzando che
> regalo dovessi riportarmi dall'Africa, se una scim-
> mia un albero di banane o una piccola schiava,
> e in risposta gli gridai quello che invece mi augu-
> ravo: che le sue mani non si sporcassero di sangue
> (e tutti intesero). Tra la folla e i viaggiatori del
> treno corse un po' di panico, finché il podestà
> scoppiò a ridere e gridò: "È Cesidio, il solito ub-
> briacone". Fu una risata generale e un sospiro di
> sollievo ».[25]

Cesidio ci permette di introdurre tematicamente la
parte finale del romanzo, della quale è uno tra i protagonisti: una serie di pagine animate di fervore, piene
di viaggi, di incontri fra amici, alla ricerca di quelli che
non si sono adattati, non si sono avviliti: è il seme che
comincia ad animarsi sotto la neve, una nuova rete di
amicizia e di solidarietà che si tesse, lo stare insieme,
in un certo senso il contarsi, il tornare a contarsi dopo

[24] *Vino e pane*, cit., p. 285.
[25] *Il seme sotto la neve*, cit., pp. 528-29.

anni di sbandamento e di riduzione al silenzio: pare
che la contrada riviva. Pietro e Simone naturalmente
si identificano con la condizione dei contadini: lavo-
rano nei campi, si recano nelle case degli amici; in
modo che il loro cercare compagni è ben piú che una
attività di proselitismo, è lo stare concretamente insieme
a ricordare le esperienze del passato e ad analizzare la
situazione del presente. Il tutto avviene con naturalezza,
con spregiudicatezza, alla luce del sole:

> « Ci si rivede, si beve un bicchiere di vino, e il
> discorso, è inevitabile, cade sui ricordi d'una volta,
> su quella vita dura penosa avventurosa ma calda
> vivente libera. Basta meno d'una parola, basta un
> battito di ciglio, per capire se l'amico agonizza o
> se è già morto. Rimasti soli, quando sembra che
> non ci sia piú nulla da raccontarsi, talvolta si
> arriva a confidenze come naufraghi ritrovatisi [...]
> Il grano nuovo è già alto una spanna e l'intera
> contrada è percorsa in lungo e in largo da vecchi
> amici che si ricercano, che si visitano o restitui-
> scono la visita ».[26]

Nel mondo liberato, nella prefigurazione, nei lavori
per la edificazione del mondo liberato, trova posto la
Chiesa fedele, i preti che non sono scesi a compro-
messo col potere e hanno continuato la pratica evangelica: don Benedetto, don Nicola, Pier Celestino. Don
Benedetto è il prete esemplare, cosí definito da un col-
lega:

> « Egli è un sant'uomo temerario. Ha vissuto a
> lungo in modo esemplare, essendo, per noi tutti,
> maestro di cultura e di virtú. Ora però, sulla so-
> glia dell'eternità il suo disprezzo dell'opinione

---

[26] *Ibid.*, pp. 535-36.

degli uomini e la sua eccessiva fiducia in Dio gli consigliano spropositi che sfiorano l'eresia ».[27]

Don Benedetto è l'antitesi del clerico-fascismo: afferma che il vero nome di Pio XI è Ponzio XI; parla di Mussolini annettendolo alla schiera di falsi profeti e falsi salvatori di cui parla S. Giovanni nell'*Apocalisse*:

« Il destino del loro – Uomo della Provvidenza – è stato già scritto: Entrerà come una volpe, regnerà come un leone, morrà come un cane »;[28]

fa della vìta cospirativa sotto l'oppressione un modello di vita cristiana, un capitolo della *Imitazione di Cristo*:

« E poi la Storia Sacra è zeppa di esempi di vita clandestina. Hai mai approfondito il significato della fuga in Egitto? E anche piú tardi, in età adulta, Gesú non fu costretto varie volte a nascondersi per sfuggire ai farisei? ».[29]

Infine don Benedetto inserisce perentoriamente Pietro Spina nella linea Karl Marx - Gesú Cristo:

« Il socialismo è il suo modo di servire Dio [...]. È un uomo che da ragazzo fu toccato da Dio e da Dio stesso lanciato nelle tenebre, alla sua ricerca. Sono certo che egli ubbidisce ancora alla Sua voce ».[30]

Don Benedetto naturalmente è sotto giudizio per il confino; la sua figura, di raro vigore etico, è sicuramente modellata ancora una volta, su molti tratti della persona di don Orione.

[27] *Vino e pane*, cit., p. 302.
[28] *Ibid.*, p. 309 ss.
[29] *Ibid.*, p. 312.
[30] *Ibid.*, p. 347.

Don Nicola, uno dei protagonisti di *Una manciata di more*, è di carattere diverso, piú femmineo e ipersensibile, dominato da una sorella dispotica, ma, come don Benedetto, non disponibile per le compromissioni col sopruso e uomo religioso nel senso soprattutto della pratica della carità, della fedeltà non alla lettera ma al senso piú profondo del Vangelo, del rispetto della libertà altrui. Cosí si rifiuta di battezzare, di convincere comunque alla conversione una ragazza ebrea, Stella, per la promessa fatta al padre morente di lasciarla crescere nella religione degli avi; cosí assiste il padre di Stella, appunto, nell'agonia parlandogli di Dio che è lo stesso per tutti, pur nella diversità delle fedi e conseguentemente della comune figliolanza degli uomini; allo stesso modo cura Stella (« s'improvvisò infermiera, domestica, madre ») che ha tentato di suicidarsi per il tradimento del Partito e l'abbandono di Rocco; infine consente con lo spirito di giustizia e la lotta per metterlo in pratica di Rocco, Martino, Lazzaro, il terzetto sovversivo di *Una manciata di more*, capi dei contadini poveri e dell'occupazione delle terre. Inutile dire che anche don Nicola, pur con minore temerarietà di don Benedetto, non si è mai piegato al fascismo.

Al mondo liberato, ad un diverso tipo di rapporti, appartengono molte figure femminili (anche se Silone è regolarmente goffo nel rappresentare relazioni amorose; fatta eccezione per *Fontamara*). Partendo appunto da *Fontamara* se abbiamo discorso a lungo del leader dei cafoni Berardo Viola, ora potremmo definire la sua donna, Elvira, quasi una Beatrice dei cafoni, come abbiamo modo di vedere dal ritratto:

« Berardo era il giovane piú forte della contrada ed Elvira la ragazza piú bella [...]. Piú che bella, bisogna anzi dire ch'era gentile e delicata, di statura media, col viso dolce e quieto, nessuno l'aveva mai udita ridere ad alta voce o anche

schiamazzare, o dimenarsi in pubblico, o pian-
gere. Era di una modestia e riservatezza straordinarie; era come una madonnina. Al suo avvi-
cinarsi, nessuno osava bestemmiare o pronunziare
parole sconce ».[31]

Quando Berardo decide di farsi i fatti suoi Elvira
lo rimprovera:

« Se è per me che ti comporti in quel modo,
ricordati che io cominciai a volerti bene quando
mi raccontarono che tu ragionavi nel modo contrario ».[32]

Alla fine del romanzo Elvira va in pellegrinaggio;
offre alla Madonna la propria vita per la salvezza di
Berardo; Berardo muore in carcere: « strana salvezza
morire in carcere », dice una donna del paese; ma giustamente la madre di Berardo le contrappone:

« Nessuno può sapere [...]. Il povero figlio mio
che non era nato per la proprietà, voleva a ogni
costo diventare proprietario. Egli che non aveva
mai saputo stare su una sedia, voleva mettere
casa. Egli che non aveva mai tollerato le ingiustizie, egli che era nato per gli amici, voleva farsi
soltanto i fatti suoi. Io sono sua madre e non
posso ripetervi le parole incredibili, le parole sa-
crileghe ch'egli mi disse prima di partire per
Roma: pur di riuscire, egli era veramente disposto
a tutto. Per amore di una donna. La morte della
donna forse l'ha salvato ».[33]

Margherita, Bianchina, Cristina sono le donne da cui
via via è attratto il protagonista di *Vino e pane*, in un

[31] *Fontamara*, cit., pp. 109-10 e passim.
[32] *Ibid.*, p. 210.
[33] *Ibid.*, pp. 251-52.

processo di sublimazione progressiva; Margherita è
come la madre di *Conversazione in Sicilia*, ospitale e
disposta a soddisfare il pellegrino il quale ha sete
d'altro che d'acqua; Bianchina è la ragazza un po'
sventata e superficiale, ma generosa; Cristina è infine
l'anima bella, irreprensibile, descritta con perfetto manierismo oleografico, figura sublimata in lineamenti
sororali:

> « [...] una creatura piena di grazia: viso affilato e
> emaciato, ma di forma perfetta, su una figura alta
> e slanciata; portava un grembiule nero, chiuso al
> collo e ai polsi, come una collegiale. Quell'impres-
> sione era accentuata dalla pettinatura dei capelli
> nerissimi, spartiti a metà testa, leggermente ondu-
> lati sulle tempie e raccolti sulla nuca in un largo
> nodo di minute trecciuole [...] il suo viso, le sue
> mani avevano il pallore delle rose bianche, ma
> per la luce dei suoi occhi e la grazia del suo sor-
> riso non vi erano similitudini della natura ».[34]

Altrettanto poco convincente è il personaggio un po'
altero e *glamour* di Faustina nel *Seme sotto la neve* (si
direbbe che Silone, nella rappresentazione delle donne
e del rapporto d'amore, patisca un impaccio ben cattolico); ma a quest'ultimo romanzo appartiene una donna
questa volta straordinaria, donna Maria Vincenza, la
gran madre, la quale sintetizza quanto del passato
conviene sopravviva, quanto le generazioni precedenti
hanno espresso di meglio: l'armonia dei rapporti, la
pace fra le persone attorno ai due nuclei fusi della
casa e della famiglia.

Non hanno particolare rilievo – pur con il solito
effetto sublimante e nobilitante – le donne di *La volpe
e le camelie* e del *Segreto di Luca* (che pure sono, in
gran parte, soprattutto il secondo, storie d'amore);

---

[34] *Vino e pane*, cit., p. 118 e passim.

d'altra parte del carattere – a nostro parere – di varia-
zioni in margine di questi romanzi, abbiamo già detto
nella rassegna delle opere.

A questo punto vogliamo ripercorrere per sommi
capi i paragrafi in cui abbiamo articolato il discorso
sul mondo liberato: la necessità della ribellione; stare
assieme, non « farsi i fatti suoi »; significato delle
figure femminili; il posto della Chiesa fedele.

L'imitazione di Cristo

Conciliare Karl Marx e Gesú Cristo, socialismo e
predicazione evangelica, dicevamo, è la linea proposta
da Silone per spezzare l'involuzione burocratica e mondana del movimento operaio e della Chiesa Cattolica;
i momenti piú alti di questo tentativo di sintesi si con-
figurano come una vera e propria imitazione laica di
Cristo, soprattutto della morte, e nella consapevole e
suggestiva equazione tra vita cospirativa e alcuni aspetti
della vita dei profeti e di Cristo stesso. È don Benedetto, in *Vino e pane*, a mettere in luce questo rapporto e a fare un'apologia della vita cospirativa:

> « [...] la Storia sacra è zeppa di esempi di vita
> clandestina. Hai mai approfondito il significato
> della fuga in Egitto? E anche piú tardi, in età
> adulta, Gesú non fu costretto varie volte a nascon-
> dersi per sfuggire ai farisei? ».[35]

Lo stesso don Benedetto, sempre in *Vino e pane*,
parla del lavoro politico di opposizione, come via alla
santità e ricerca di Dio:

> « Il socialismo è il suo modo di servire Dio [...]
> È un uomo che da ragazzo fu toccato da Dio e

[35] *Ibid.*, p. 312.

da Dio stesso lanciato nelle tenebre alla sua ricerca. Sono certo che egli ubbidisce ancora alla Sua voce ».[36]

Il medesimo tema è ribadito e comunque vediamone l'ultima enunciazione – praticamente autobiografica, a chiarezza di sé – nell'*Avventura d'un povero cristiano*:

« [...] gli uomini i quali una volta dicevano no alla società e andavano nei conventi, adesso il piú sovente finiscono tra i fautori della rivoluzione sociale [...] Non esito ad attribuire ai ribelli il merito di una piú vicina fedeltà a Cristo ».[37]

In *Fontamara* la dimensione religiosa della morte di Berardo consiste nella sua volontà sacrificale, nella decisione cioè di morire non per sé, ma per gli altri e quindi nella consapevolezza di poter diventare seme di redenzione (il tutto con spontaneità, con un convincente progresso di sentimenti, senza amplificazioni oratorie):

« Sarò il primo cafone che non muore per sé, ma per gli altri [...] Sarà qualche cosa di nuovo. Un esempio nuovo! Il principio di qualche cosa del tutto nuova [...] Fin da ragazzo mi era stato predetto che sarei morto in carcere [...] Quando li rivedrai, saluta gli amici ».[38]

In *Vino e pane* è l'episodio piú clamoroso, con il ricalco di due celeberrimi episodi del Vangelo: quando Luigi Murica è abbandonato nelle mani dei poliziotti fascisti i quali parodiano, ma con eguale e maggiore

---

[36] *Ibid.*, p. 347.
[37] *L'avventura d'un povero cristiano*, cit., p. 31.
[38] *Fontamara*, cit., p. 247.

violenza fino a procurare la morte, la vicenda di Cristo consegnato ai soldati di Pilato; e quando in tutta la lunga scena della veglia al morto e del compianto su di lui vengono ripetute le parole e i gesti dell'istituzione dell'Eucarestia (a cui allude scopertamente anche lo stesso titolo *Vino e pane*). Luigi Murica tra i soldati:

« Luigi aveva scritto su un pezzo di carta: – La verità e la fraternità regneranno tra gli uomini al posto della menzogna e dell'odio; il lavoro regnerà al posto del denaro. Quando l'hanno arrestato gli hanno trovato quel biglietto che egli non ha rinnegato. Nel cortile della caserma della milizia di Fossa gli hanno perciò messo in testa un vaso da notte in luogo di corona. – Quest'è la verità – gli hanno detto. Gli hanno messo una scopa nella mano destra in luogo di scettro. – Quest'è la fraternità – gli hanno detto. Gli hanno poi avvolto il capo in un tappeto rosso raccolto da terra, l'hanno bendato e i militi se lo sono spinto a pugni e a calci tra loro. – Quest'è il regno del lavoro – gli hanno detto. Quando è caduto per terra gli hanno camminato di sopra, pestando coi talloni ferrati. Dopo questo inizio d'istruttoria, egli è vissuto ancora un giorno ».[39]

Il compianto funebre sul giovane morto:

« È lui che mi ha aiutato a seminare, a sarchiare, a mietere, a trebbiare, a macinare il grano di cui è fatto questo pane. Prendete e mangiate, quest'è il suo pane [...] È lui che mi ha aiutato a potare, insolfare, sarchiare, vendemmiare la vigna dalla quale viene questo vino. Bevete, quest'è il suo vino [...] Il pane è fatto da molti chicchi di grano. Perciò esso significa unità. Il vino è fatto

---

[39] *Vino e pane*, cit., pp. 364-65.

da molti acini d'uva, e anch'esso significa unità.
Unità di cose simili, uguali, utili. Quindi anche
verità e fraternità, sono cose che stanno bene assieme. Il pane e il vino della comunione. Il grano
e l'uva calpestati. Il corpo e il sangue ».[40]

Nel *Seme sotto la neve* l'imitazione di Cristo si esprime come vita francescana; ma nella parte finale torna
in primo piano il tema-persona di Cristo nella figura
di Infante, una specie di Cristo cafone; e l'andare di
Pietro Spina coi suoi amici di villaggio in villaggio a
predicare l'orgoglio, lo stare assieme, l'amicizia, la speranza, ripete tanto l'andare dei monaci di S. Francesco
quanto l'andare degli apostoli di Cristo (ancora una
volta ci viene in mente la trascrizione filmica dell'andare
degli Apostoli ne *La via lattea* di Buñuel).
Si diceva di Infante come Cristo cafone; è un episodio che crea l'aura del miracolo. A Trezza, paese
vicino ad Acquaviva, dove si è rifugiata la *societas* di
Pietro Spina, Simone-la faina, Infante, don Severino, è
stato arrestato un contadino, un certo Nicandro, probabilmente per ribellione all'autorità; è la primavera:

« Le pianticelle di granturco da vari giorni hanno
messo fuori tre o quattro foglie tenerelle ed è il
momento di nutrirle sarchiando la terra con la
zappa ».[41]

Si cimenta nel lavoro la moglie, Maria Catarina:

« Essa è poco abituata alle fatiche della terra e
solo alle piú leggere; i suoi occhi esausti dall'insonnia e dalle lacrime non sopportano il river-
bero del sole; e la schiena, benché abituata alle
fatiche del bucato e della madia, sembra rom-

[40] *Ibid.*, pp. 367-68.
[41] *Il seme sotto la neve*, cit., p. 550 ss.

persi a ogni colpo di zappa; a ogni passo le ginoc-
chia le si piegano per la debolezza. E alcune volte,
invece di rivoltare la terra, essa ha già distrutto
varie piantine di granturco; non è tanto imperi-
zia, quanto stanchezza e distrazione. Si vede che
la sua anima è altrove; l'immagine del marito
incarcerato, probabilmente vilipeso, torturato, non
deve abbandonarla un momento. D'un tratto non
ne può piú, lascia cadere la zappa e si siede per
terra sotto un albero; nasconde la faccia tra le
mani e piange. Un sudore freddo, come neve
liquefatta, le inonda il corpo ».[42]

Appare un cafone:

« [...] Il suo aspetto da vicino è francamente pau-
roso; nessun cristiano a Trezza ha quell'aspetto
selvatico; ma i suoi gesti sono d'una buona bestia
domestica. Egli getta per terra il cappelluccio unto
e gualcito, dà mano alla zappa e comincia a sarchiare nel punto dove la donna aveva appena
interrotto ».[43]

Questo cafone è Infante, ma la donna non lo conosce
e in preda al panico ritorna di corsa al paese rifugian-
dosi nelle braccia della suocera; a sera la suocera
scende al campo, proprio quando il contadino sconosciuto ha finito di vangare; gli rivolge la parola, gli
dice di non poterlo pagare con denaro; il cafone capisce l'ultima espressione, sorride e rifiuta comunque il
denaro. Ed ecco l'imprevista conclusione:

« Rallegrati, anima mia [...] e ancora una volta,
rallegrati, perché oggi hai visto il tuo Signore
[...] Egli era in maniche di camicia e portava la

[42] *Ibid.*
[43] *Ibid.*

giacca su un braccio [...] Ma solo quando Egli s'è meravigliato ch'io Gli parlassi di salario, mi sono accorta che la Sua camicia era di seta. Quella biancheria da re sotto un vestito cencioso, quella voce, quel sorriso, quelle parole, quello stupore: denaro? a me denaro? Ah, figlia mia come raccontarti? ».[44]

Per svelare l'arcano, chi legge il romanzo verrà a sapere che la camicia di seta di Infante è una camicia da notte di Pietro Spina. L'episodio appena descritto viene quindi amplificato e protratto con effetti d'eco nelle pagine successive: i commenti delle comari, le inchieste dei cafoni alle donne, il parere di un eremita locale, ecc.; l'invenzione cioè viene sfruttata all'estremo e cosí appesantita (quell'aria di *pesanteur* che già abbiamo denunciato in molti luoghi di Silone).

In *Una manciata di more* il leader dei contadini poveri, Rocco De Donatis, è un altro degli eroi siloniani che, per affermazione dei loro amici preti, seguono la via della santità attraverso l'attività rivoluzionaria e la lotta di classe; come don Benedetto di Pietro Spina cosí don Nicola dice di Rocco De Donatis:

« Rocco nacque con una evidente vocazione per la vita religiosa. Egli era l'oggetto del piú chiaro appello di Dio che io abbia mai osservato. Non lo seguí per uno di quei misteri che solo Dio può spiegare e giudicare. Ma, pur astenendosi dall'obbedire alla sua vocazione, egli ha preteso dalla vita secolare l'assoluto che solo il convento poteva dargli. Per questo egli si trova in una situazione tragica, assurda, molto piú difficile da risolvere di qualsiasi eventuale concubinato. Come potrei abbandonarlo? ».[45]

[44] *Ibid.*
[45] *Una manciata di more*, cit., p. 88.

Di Martino, uno degli amici di Rocco, trotzkista, si dice continuamente che lotta in difesa degli amici (si ricordino le parole di Cristo nel Vangelo: « io vi ho chiamato amici »); di Lazzaro, piú esplicitamente viene detto:

> « Lazzaro è un uomo buono, un uomo di rispetto. Nessuno può dirne male. Se fosse vissuto ai tempi di Nostro Signore, quasi certamente sarebbe stato chiamato tra gli apostoli e non sarebbe stato il tredicesimo ».[46]

E ancora:

> « Quando lo vidi la prima volta subito pensai di averlo già visto [...] Forse ti ricordasti di certe immagini affrescate sui muri delle nostre chiese piú antiche [...] I santi che evangelizzarono le nostre valli e affrontarono il martirio, erano di questa specie ».[47]

Converrà aver presente che i rivoluzionari bolscevichi, gli uomini-leader della rivoluzione russa vennero chiamati col linguaggio immaginoso della speranza « apostoli del XX secolo »; e non tacere che questo sovrasenso religioso di simboli e figure della rivoluzione comunista nasce in primo luogo direttamente da alcuni testi di Marx e in particolare da quel quasi apocrifo biblico che è il *Manifesto del partito comunista* (i proletari che debbono perdere le loro catene; il sole che deve sorgere a illuminare la nuova era; la falce e il martello a figurare l'unione tra contadini e operai; e, in prospettiva, la fine dello stato e la nascita di una società di eguali). Questa spinta messianica di liberazione e questa forma autentica della prassi sovversiva sono visibili ad esempio nelle lettere di militanti comu-

---

[46] *Ibid.*, p. 286.
[47] *Ibid.*, p. 289.

nisti raccolte nell'opera *Lettere di condannati a morte della Resistenza italiana* (per tutti si confrontino Eusebio Giambone e Quinto Bevilacqua); il lettore pensi che qui si è voluta ribadire la persistenza di un singolare modello di comportamento politico, prosecuzione – consapevole, com'è probabile, o no – e inveramento di un cristianesimo sociale, immanente, laico.

Il vangelo dei cafoni

Raccoglieremo qui esempi di religiosità popolare, anticlericale, che si esprime come prosecuzione del Vangelo e dei fioretti francescani. Diamo una chiave autobiografica:

« Era abbastanza curiosa quell'educazione casalinga. Girando per questi paesi nei giorni scorsi mi sono tornate alla mente, tra l'altro, varie parabole evangeliche, naturalmente apocrife, apprese appunto in famiglia durante l'infanzia e l'adolescenza. I personaggi, i piú noti del Vangelo, erano generalmente nativi di questa contrada; e le storie, naturalmente morali, ma di una moralità non usuale né bigotta: rispettose verso Cristo e Maria, non mancavano di spregiudicatezza e talvolta di irriverenza nei riguardi degli apostoli e in modo speciale di Pietro, per non parlare delle autorità civili e dei loro sbirri. Un vecchio frate, al quale ieri ne ho raccontate un paio che gli sono piaciute, mi ha esortato a scriverle. – Ne potrebbe venire fuori – m'ha detto – un divertente vangelo abruzzese ».[48]

Questo scrive Silone nell'*Avventura d'un povero cristiano*; e in effetti è possibile raccogliere nei romanzi dello scrittore una specie di Vangelo dei cafoni, testi-

---

[48] *L'avventura d'un povero cristiano*, cit., p. 32.

monianza di una religiosità – come dire – underground, antiistituzionale e libertaria; abbiamo già visto negli altri riassunti tematici un Cristo cafone, dei santi cafoni, ed ora sottolineiamo una tradizione di parabole, esempi, moralità, un libro sparso di proverbi e di sapienza della terra abruzzese, ripetiamo, una specie di vangelo popolare che applica alla concretezza della storia il Vangelo autentico e in questo senso ne è prosecuzione genuina, non mummificata. In *Fontamara* quattro episodi possono rientrare in questo Vangelo autoctono: la parabola dei pidocchi, la parabola delle gerarchie, lo stendardo di S. Rocco, vita e morte di S. Giovanni da Copertino. Le prime due parabole funzionano come constatazione ironico-amara della struttura sociale e della realtà storica; la parabola dei pidocchi racconta con immaginoso sarcasmo il viaggio del Crocifisso e del papa sopra la Marsica nella notte della Conciliazione. Al Crocifisso che propone dei benefici per alleviare la condizione dei cafoni il papa oppone gli interessi, che ne soffrirebbero, del principe, dei governanti, dei grandi commercianti. Alla fine l'unico dono che il papa ritiene produttivo estrarre dalla bisaccia del Signore, per i cafoni, è una nuvola di pidocchi:

> « Prendete, o figli amatissimi, prendete e grattatevi. Cosí nei momenti di ozio qualche cosa vi distrarrà dai pensieri del peccato ».[49]

Difficile esprimere con maggior efficacia il carattere sovrastrutturale e inutile, di semplice intesa fra poteri, come garanzia reciproca di non cambiare nulla, del Concordato. Piú feroce ancora, nella sua apparente ovvietà la parabola delle gerarchie:

> « In capo a tutti c'è Dio, padrone del cielo. Questo ognuno lo sa. Poi viene il principe Torlonia, pa-

---

[49] *Fontamara*, cit., p. 44.

drone della terra. Poi vengono le guardie del principe. Poi vengono i cani delle guardie del principe. Poi, nulla. Poi, ancora nulla. Poi, ancora
nulla. Poi vengono i cafoni. E si può dire ch'è
finito [...] Le autorità si dividono tra il terzo e il
quarto posto. Secondo la paga. Il quarto posto
(quello dei cani) è immenso. Questo ognuno lo
sa ».[50]

L'episodio dello stendardo di S. Rocco e la predica
su S. Giuseppe da Copertino ci portano, in una zona
di prosecuzione francescana, quasi – soprattutto il secondo racconto – nuovi fioretti; il primo episodio dove
lo stendardo agisce come manto protettivo di introduzione alla terra promessa, il Fucino, ha un tono di
epica biblica, di viaggio alla Palestina. Viene ordine a
Fontamara, di portarsi, tutti gli adulti, ad Avezzano
dove si riuniranno le autorità per decidere la questione
del Fucino; si ordina pure di alzare il gagliardetto
durante il viaggio in camion e di cantare all'entrata del
capoluogo. I fontamaresi ignorano di quale gagliardetto
si tratti (era naturalmente la bandiera del PNF) e
innalzano la bandiera di S. Rocco che all'entrata in
Avezzano, dopo una serie di scontri con le bande fasciste, sono costretti ad abbandonare ai carabinieri. Ma ci
interessa il momento del viaggio che appare come una
vera e propria traversata del Mar Rosso:

« Il camion correva pazzamente in discesa con
scarso riguardo per le continue svolte, e noi era-
vamo violentemente sballottati l'uno contro l'altro,
come un branco di vitelli; ma ne ridevamo. Anche
quell'insolita rapidità dava alla nostra gita il carattere di una avventura straordinaria; ma quando,
all'ultima svolta, all'improvviso, davanti a noi, ci
trovammo la pianura del Fucino, vastissima e

[50] *Ibid.*, pp. 47-48.

dorata di messi mature, spartite da filari di pioppi giganteschi, l'emozione ci tagliò il respiro. Fucino aveva un aspetto nuovo: l'aspetto della terra promessa. A quel punto Berardo afferrò lo stendardo da solo (un albero lungo dieci metri, al quale era attaccato un immenso drappo di color bianco e celeste) e con la forza in piú che gli veniva dall'entusiasmo, l'innalzò e agitò nell'aria l'immagine del santo pellegrino e del pio cane. – Terra, terra – si mise a gridare, come se non l'avesse mai vista ».[51]

La vita e la morte di S. Giuseppe da Copertino sono oggetto di una predica di don Abbacchio (e questo cognome gastronomico la dice lunga sul carattere del possessore); dunque, Giuseppe da Copertino era un cafone fattosi frate senza riuscire mai ad apprendere il latino. E mentre i confratelli cantavano le lodi della Vergine con i salmi, egli esprimeva la propria devozione con le capriole; gli venne dato il dono della levitazione, condusse una vita esemplare cosí da essere proclamato santo. Alla morte salí in Paradiso e quando comparve davanti al trono di Dio, il Signore che lo amava gli offrí di esaudirlo in qualsiasi cosa volesse. Il santo cafone dopo molto tergiversare gli chiese un gran pezzo di pane bianco; Dio stabilí allora che dodici angeli quotidianamente rifornissero S. Giuseppe da Copertino del miglior pane bianco che si cuocesse in paradiso. Possiamo vedere gli affamati cafoni di Fontamara con la bocca aperta ad ascoltare la rievocazione di questo – per cosí dire – Paradiso del pane (il Paradiso come luogo senza fame, anzi dove quotidianamente ci si può saziare col pane bianco); tanto piú che la loro miseria cronica è aggravata dalla sicura carestia e aridità dei campi per il furto dell'acqua. Si spiega anche, come dice Silone, che i fontamaresi pur conoscendo

[51] *Ibid.*, p. 134.

bene questo racconto, amassero sentirselo ripetere:
l'Eden diventava un luogo mitico senza fame, anzi con
pane bianco a volontà. Riassumendo ripetiamo che la
religiosità, condensata in racconti e parabole dai fontamaresi, si muove in due zone, evangelica e francescana,
è estremamente realistica, ancorata e dipendente dalle
realtà piú quotidiane. In *Vino e pane* ritroviamo la dimensione che abbiamo già definito come Vangelo dei cafoni (ritorna Gesú, appare il diavolo), e la predicazione
del santo-rivoluzionario Pietro Spina che parla con i sor-
domuti, predica agli uccelli, soprattutto reinventa in
chiave sovversiva storie sacre attinte dall'*Index festo-
rum*. Pietro Spina è considerato dalla superstizione
fanatica delle donne di Acquaviva un santo come non è
in realtà; sono invece ben vere, reali, le storie sacre
sovversive:

    « Egli cominciò a raccontare a modo suo la storia
    dei martiri di cui il breviario gli forniva i dati.
    Quella dei martiri era una storia sempre diversa e
    sempre uguale. Un'era di triboli e persecuzioni.
    Una dittatura con un capo deificato. Una vecchia
    chiesa ammuffita vivente di mance. Un esercito di
    mercenari per garantire ai ricchi una pacifica dige-
    stione. Una popolazione di schiavi. Una prepara-
    zione incessante di nuove guerre di rapina per
    il prestigio della dittatura. Intanto viaggiatori mi-
    steriosi arrivano dall'estero. Essi parlano sottovoce
    di prodigi accaduti in Oriente, annunciano la Buo-
    na Novella: la Liberazione è prossima. I piú au-
    daci, i poveri, gli affamati si riuniscono in sotter-
    ranei per udirne parlare. La voce si sparge. Cer-
    tuni abbandonano i vecchi templi, abbracciano la
    nuova fede. Dei nobili lasciano i loro palazzi. Dei
    centurioni disertano. La polizia sorprende le riu-
    nioni clandestine, fa degli arresti. I prigionieri
    vengono torturati, deferiti a un tribunale speciale.
    Ve ne sono che rifiutano di bruciare incenso

davanti ai feticci dello stato. Non riconoscono
altro Dio che quello della loro anima. Essi affron-
tano i supplizi col sorriso sulle labbra. I giovani
vengono gettati alle belve. I sopravviventi restano
fedeli ai morti e tributano a essi un culto segreto.
Cambiano i tempi, muta il modo di vestirsi, di
nutrirsi, di lavorare, cambiano le lingue; ma, in
fondo, è sempre la stessa storia che continua ».[52]

Il seme sotto la neve è tutto d'intonazione francescana; ha valore di parabola l'episodio dell'incontro
tra il capo-guardia comunale don Tito e un mendicante
che da lui ha ricevuto l'elemosina; quando don Tito
lo segue e lo rimprovera perché lo vede subito entrare
in un'osteria, il mendicante gli rende l'elemosina e gli
chiede: « Credevi forse con venti centesimi d'aver com-
prato la mia anima? ».

In *Una manciata di more* per questa tematica incon-
triamo 1) un oggetto mitico, una tromba, carica di
valori di giustizia, come una tromba biblica; 2) un comportamento esemplare di carità cristiana, di adesione a
quella delle opere di misericordia che impone di dar
da mangiare agli affamati; 3) la morte di una bambina
innocente che al pari delle altre vittime incolpevoli dei
romanzi di Silone diviene lievito di redenzione.

La tromba dei cafoni è un segnale di giustizia, il
mezzo per chiamare a raccolta i contadini analfabeti,
in sostituzione delle campane che sono passate al servizio dei proprietari terrieri; quando suona è come la
tromba del giudizio e crea ansia di sapere tra i cafoni
e panico tra i possidenti (è un dato autobiografico, si
confronti il racconto *Polikusc'ka* di *Uscita di sicurezza*).
A usarla è Lazzaro, quello stesso del quale gli amici
dicono che, se Cristo fosse ancora vivo, sarebbe uno
degli apostoli e non il tredicesimo; è stato esiliato al
confino durante il fascismo, è tornato dopo la libera-

[52] *Vino e pane*, cit., pp. 359-60.

zione ed ha nuovamente tolto la tromba dal suo nascon-
diglio per suonarla contro i soprusi. Lazzaro è stato
carabiniere e durante un tumulto nelle Romagne dove
era stato comandato gli capitò di raccogliere una bambina ferita mortalmente e di portarla a gran corsa
all'ospedale insanguinandosene tutto; gliene venne un
difetto che lo fece scartare e rimandare a casa: le braccia gli si irrigidirono nella posizione che aveva tenuta
per portare la bambina:

> « Lazzaro è rimasto un uomo qualsiasi, un uomo
> di fatica e di compagnia. Gli piace bere e man-
> giare. Ha i suoi difetti. Ma alla vista di certi fatti,
> anche se non lo riguardano personalmente, si scon-
> volge. Nessuno riesce allora a tenerlo. Non cono-
> sce prudenza. Sono i momenti, egli m'ha confes-
> sato, in cui risente sulle braccia, sul suo petto,
> lungo tutto il suo corpo, il sangue caldo e inno-
> cente della bambina morente ».[53]

Per questo fatto Lazzaro è votato alla difesa contro
il sopruso, è stato segnato dal destino o, meglio, dalla
Provvidenza a ciò. Caterina ha ripetuto invece un gesto
di solidarietà tradizionale nella sua terra: ha sfamato
con un pezzo di pane uno sbandato dell'esercito alleato,
un pellegrino; al carabiniere che la rimprovera, risponde
d'aver trovato in lui un aspetto umano e il carattere di
un figlio di madre, di non avervi quindi visto un
nemico. Il carattere paradossale e proverbiale della
vicenda sta nel fatto che, mutate le parti dopo l'8 settembre, l'atto di tradimento diviene un atto di valore
e Caterina ingenuamente chiede se, cambiate appunto
le parti, sia cambiato anche il senso del bene e del male.
Nell'*Avventura d'un povero cristiano* si concreta, attorno al personaggio di Pier Celestino, quella che possiamo chiamare un'atmosfera di nuovi fioretti: Cele-

[53] *Una manciata di more*, cit., pp. 136-37.

stino canta nelle ore meno prevedibili della notte le lodi
al Creatore, gioca e conversa con gli animali meno
addomesticabili, come una volpe, una serpe, altre
bestiole della montagna; il luogo dove si trova rifugiato pare trasfigurato, avvolto in una luce di straordinaria limpidezza; addirittura talvolta sente crescere
l'erba; altre volte si estasia per una gemma sbocciata.
Non è immune naturalmente, questo quadro, da tinte
oleografiche, dall'ingenuità un po' stucchevole della
pittura popolare e naïf, dal gusto degli ex-voto.

Abbiamo visto in questo paragrafo il cristianesimo
non ufficiale del mondo popolare di Silone, non dogmatico ma morale, pronto al miracolo, in attesa del compimento della redenzione, che ha come sue tavole di
valore e quindi modelli di pratica le opere di misericordia e le beatitudini.

Un'osservazione che serve qui e altrove: sembrerà
qualche volta sovrabbondante il numero delle citazioni,
ma è sempre buon metodo, dove è possibile, spiegare
l'autore con l'autore (per questo, tanto spesso, abbiamo
documentato Silone con Silone).

La farsa

Certo non è immediatamente necessario ricordare
Plauto, la fabula atellana, la satira, Orazio; ma il richiamo non vale come indicazione di fonti bensí come sotto-
lineatura di una tendenza persistente, tipicamente regionale dell'Abruzzo e di tutta l'Italia plebea centro-meri-
dionale, quella della deformazione grottesca, della burla,
della farsa. Della deformazione grottesca abbiamo già
parlato nel paragrafo intitolato *Il mondo offeso*; qui
circostanzieremo la burla e la farsa. Definiamo innanzitutto che intendiamo per farsa, in Silone, una situazione comica protratta, con colpi di scena, un fondo continuo di grossolanità: una comicità impura, grassa che si
distende in un intreccio narrativo. Qui isoliamo il tema

farsa per necessità didattiche, ma nella narrativa di Silone funziona come una delle tinte fondamentali, di base, che concorrono a formarne il colore caratterizzante; quindi si debbono sempre inserire per una lettura non deviante (come quella di ambienti francesi ad es. che lessero *Fontamara* soprattutto e in parte gli altri romanzi di Silone come esempio di comicità surrealista) i personaggi e gli episodi estratti, nel loro contesto. La farsa, la burla, il ritratto deformato possono funzionare come messa alla berlina della classe dirigente, dei notabili, delle autorità. Difficile addirittura scegliere. Da *Fontamara* citiamo come significativa del genere e per il particolare impasto di comicità, amarezza, vergogna, la fine del banchetto in casa dell'Impresario:

« I commensali, in compagnia, cominciarono a scendere nel giardino, secondo l'uso, per orinare. Davanti a tutti scese il canonico don Abbacchio, grasso e sbuffante, col collo gonfio di vene, il viso paonazzo, gli occhi socchiusi in un'espressione beata. Il canonico si reggeva appena in piedi per l'ubriachezza e si mise a far acqua contro un albero del giardino, tenendo la testa appoggiata contro l'albero per non cadere. Dopo scesero un avvocato, il farmacista, il collettore delle imposte, l'ufficiale postale, il notaio e altri che noi non conoscevamo, e andarono a far acqua dietro un mucchio di mattoni. Dopo scese l'avvocato don Ciccone, con un giovanotto che lo reggeva per un braccio; egli era ubriaco fradicio e dietro il mucchio di mattoni lo vedemmo cadere ginocchioni sulla propria umidità ».[54]

Da *Vino e pane* emerge l'avvocato Zabaglia, detto Zabaglione (alle deformazioni gastronomiche o bestiarie di Silone siamo ormai abituati; anche in *Fontamara*

[54] *Fontamara*, cit., p. 76.

c'erano un don Carlo Magna e sua moglie donna Clo-
rinda il Corvo) con la sua oratoria sgangherata, coi
suoi amici perfettamente significanti nella loro medio-
crità.

De *Il seme sotto la neve* abbiamo già esaminato il
banchetto centrale del romanzo in casa di Calabasce,
una autentica raccolta di maschere grottesche; vogliamo
qui menzionare due personaggi straordinari, il paralitico e don Tito, che come nei film comici si aggiungono ai temi e personaggi principali con una loro straordinaria evidenza. Il paralitico appare evocato quando
durante il pranzo di Calabasce viene in tavola la maio-
nese:

« Gli invitati di Orta sanno subito di che si tratta,
ma agli altri dev'essere spiegato e raccontato. Nel
paese c'è un vecchio scalpellino da molti anni
afflitto da paralisi alle gambe e da un forte tre-
more in un braccio; il poveretto vive di carità e,
in cambio, le buone famiglie, quando hanno invitati di riguardo, profittano del parletico della sua
mano per fargli frullare le uova delle maionesi e
degli zabaglioni. A Natale e a Pasqua ne frulla di
uova quel povero braccio; ormai esso è, si può
dire, un braccio comunale. Viene anche raccontato che l'ex scalpellino abita in un tugurio in-
fetto, una specie di porcile; per fargli respirare
aria piú salubre don Michele in primavera lo fa
trasportare su una sedia nel proprio orto; il paralitico ne è contento, e il movimento del suo braccio salva gli ortaggi dal piccottio dei passeri ».[55]

Don Tito è il modello della boria inconsistente, un
personaggio da operetta, « *quanta species sed cerebrum
non habet* », che deriva tutto il suo prestigio da una
divisa sproporzionata (della quale vedremo l'origine) e

[55] *Il seme sotto la neve*, cit., p. 413.

dall'essere responsabile, per tutto il territorio del comune, dell'ufficio « Denunzie Calunnie e Dicerie » di sua invenzione. Si diceva della divisa:

> « Don Tito indossa un'uniforme in tutto simile a quella che, prima del 1914, all'epoca d'oro delle uniformi, usavano i generali nelle cerimonie solenni; e la sua capigliatura le ciglia i baffi le labbra e il ventre sono d'una prolissità ornamentale confacente allo stile della tenuta, ma la statura e le spalle, piuttosto modeste e gracili, ricordano la sua origine artigianesca [...] Allorché don Saverio Spina, in occasione d'un suo viaggio a Roma, fu incaricato dalla giunta comunale di Colle d'ordinare la montura della nuova guardia, con l'ammonimento di risparmiare il piú possibile, egli acquistò per pochi baiocchi, da un mercante di stracci vecchi e accessori di teatro un'uniforme [...] e per un certo tempo l'esorbitante uniforme di don Tito divenne l'incubo degli abitanti di Colle ».[56]

La divisa, quindi, fa l'uomo.

Da *Una manciata di more* che è soprattutto una satira nei confronti delle degenerazioni burocratiche e trionfalistiche del PCI (uno dei personaggi, Oscar, soprannominato il mulo bendato, venne letto come caricatura di Togliatti) estrapoliamo il personaggio dell'addetto musicale del Partito e di don Alfredo. Il primo ha praticamente la stessa condizione umana del paralitico del *Seme sotto la neve*, piú precisamente è un alienato di partito:

> « Un giovane reduce, mutilato di una gamba, era stato appositamente incaricato di girare ogni tre minuti, senza interrompere il moto del disco, la

[56] *Ibid.*, pp. 327-28.

manovella dell'apparecchio e di cambiare la punta
ogni ora. Era l'Addetto Musicale della sezione del
Partito. Egli adempiva la sua funzione con scru-
polo e gravità. D'altronde, gli era proibito di-
strarsi. Nei tratti del disco in cui il suono non
era piú intelligibile, egli aveva il compito di sup-
plire con la propria voce. Ben presto egli stesso
divenne rauco stridulo cavernoso; e arrivò il giorno in cui non fu piú possibile distinguere, nella
emissione del disco, le sue interpolazioni ».[57]

Per quel che riguarda don Alfredo Esposito la farsa
si muove con ritmo di balletto e conclude con la moralità di un apologo. Don Alfredo è un ex notabile fascista felicemente integratosi nel nuovo partito (il PCI);
un particolare vantaggio gli è derivato dal fatto che il
primo storico incontro del Comitato di Liberazione
Nazionale è avvenuto nella sua villa (costruita arric-
chendosi con la sua posizione di podestà); un oggetto
della villa poi – l'orologio a pendolo – è entrato a far
parte del culto del partito, perché ha bloccato le sue
lancette sull'ora storica. Silone descrive divertito le
processioni di popolo a visitare la reliquia nelle ricor-
renze gloriose (e la moglie di Alfredo Esposito, appena
le delegazioni di massa si annunciano al cancello, si
affretta a togliere i tappeti buoni e a far sparire l'argen-
teria). Alfredo Esposito cade in disgrazia quando inopi-
natamente il pendolo comincia ad andare indietro ed
in processione non vengono piú i compagni, ma i nostal-
gici.

La farsa può anche funzionare come momento di
prevaricazione sui poveri, con l'aggiunta del diverti-
mento; è la burla dell'asino vestito da prete in *Fontamara*, ad esempio (quella delle burle ai cafoni fontamaresi è quasi un'abitudine degli abitanti del capoluogo):

---

[57] *Una manciata di more*, cit., p. 117.

« Gli abitanti del capoluogo (non tutti, si capisce,
ma i soliti sfaccendati) non lasciano mai passare
le occasioni per beffarsi dei fontamaresi. A raccontare tutte le burle da essi giocateci negli ultimi
anni non basterebbe una giornata... ».[58]

La burla si svolge in questo modo: i fontamaresi
da circa mezzo secolo sono senza prete fisso perché la
parrocchia ha una rendita troppo piccola; continuano
però ad inviare suppliche al Vescovo e ad un certo
punto ricevono la notizia che la loro richiesta è stata
accolta e che perciò si preparino a festeggiare l'arrivo
del nuovo curato. Fanno del loro meglio per preparare
un ricevimento; raccomodano la chiesa; allargano la
strada; costruiscono un grande arco di trionfo con
drappi e fiori all'entrata del paese; adornano le porte
delle case con drappi verdi; infine nel giorno fissato
escono tutti incontro al loro pastore che deve arrivare:

« Dopo un quarto d'ora di cammino, vedemmo da
lontano una strana folla di gente che ci veniva
incontro. Non si scorgevano in essa autorità e sa-
cerdoti, ma tipi strani e giovinastri. Noi conti-
nuammo ad avanzare in processione, dietro lo stendardo di S. Rocco, cantando inni sacri e recitando
il rosario. Innanzi procedevano gli anziani col
general Baldissera che doveva fare un piccolo discorso, dietro seguivano le donne e i ragazzi.
Quando fummo dappresso alla gente del capoluogo, ci schierammo ai cigli della via per accogliere tra noi il nuovo curato. Solo il general Baldissera si fece avanti, agitando il cappello e gri-
dando commosso: – Viva Gesú! Viva Maria!
Viva la Chiesa! –. In quel momento anche la
strana folla del capoluogo si aprí e ne venne
avanti, spinto a furia di calci e di sassate, il nuovo

[58] *Fontamara*, cit., p. 50.

curato nella forma di un vecchio asino, adorno
di carte colorate come paramenti sacri ».[59]

Nel *Seme sotto la neve* i fatti della vita della zia
Eufemia e le avventure della pillola perpetua appa-
gano semplicemente un gusto irrefrenabile di comicità,
il solo desiderio della risata e in verità sono momenti
perfettamenti riusciti, di effetto sicuro. La signorina
Eufemia, nata al posto del maschio desiderato, per continuare la casata De Dominicis, ha avuto tuttavia qualche tratto virile: peli, corporatura muscolosa, comportamento manesco. Subí in giovinezza un affronto terribile essendo stata denunciata come renitente alle armi
e quindi costretta a sottoporsi alla visita medica di leva.
Si accentuò da allora il temperamento lunatico e irasci-
bile, la tendenza a sfogarsi in ululati e sequele di maledizioni. La signorina Eufemia scelse di eccellere come
modello di umiltà: andava scalza, con la corda al collo,
col capo cosparso di cenere nelle processioni. Vive, al
tempo del romanzo, nelle uniche due stanze abitabili del
decrepito palazzo avito; una delle stanze è trasformata
in cappella privata e zeppa di reliquie bizzarre (false
naturalmente); numerosa la compagnia dei gatti. Il
nonno della signorina Eufemia pare abbia riempito di
bastardi la contrada e quindi quasi tutte le famiglie di
Colle si considerano suoi parenti; a maggior ragione da
quando dei visitatori hanno scoperto in casa sua alcune
bigonce delle quali la zitella non ha voluto rivelare il
contenuto e che si sospetta contengano il mitico tesoro
dei De Dominicis. Eufemia è dunque diventata zia
di tutto il paese che se ne considera legittimo erede:

« Dietro un tendaggio di velluto rosso erano state
intanto scoperte le famose, le leggendarie bigonce,
i misteriosi recipienti attorno a cui i nostri vecchi,
nelle sere d'inverno, non si stancavano di conget-

[59] *Ibid.*, p. 52.

turare [...] L'aria era irrespirabile [...] l'atmosfera era quella di una cloaca. Gatti magri e famelici mordevano i polpacci delle persone, azzannavano i candelieri, i piedi delle sedie [...] Le bigonce, simili a quelle che noi usiamo per la vendemmia, ma più forti e con doppi cerchioni, furono dunque scoperchiate: passato il primo istante di comune intontimento, io fui solo a smascellarmi dal ridere [...] Un minaccioso mormorio si levò in piazza dall'impaziente folla dei nipoti. Dimenticavo di dirti, Pietro, che le bigonce erano piene, come esprimermi? dei resti della digestione della zia Eufemia nel corso di molti anni ».[60]

L'avventura della pillola perpetua si svolge con le movenze di un balletto grottesco, come un quadro di opera buffa o come una commedia degli equivoci piena di lazzi plautini; trattasi di una pallina di antimonio per la maggior parte del tempo nascosta negli intestini della gente dove provoca forti contrazioni con effetto di purgante. La proprietà è di Simone-la faina che ricava un modesto guadagno dall'affitto della pillola e ne tiene la contabilità. A Simone è stato intentato un processo dal farmacista locale per esercizio abusivo della professione, ma Simone l'ha vinto con la difesa dell'avvocato Zabaglione: una nuova persecuzione subisce col fascismo quando l'oratore, don Coriolano, proclama in piazza che la funzione di purgare i cittadini è uno degli attributi fondamentali dello Stato (sinistra affermazione: sono nella memoria di tutti le purghe con bottiglioni di olio di ricino agli avversari politici) e che la pillola di Simone, oltre a violare i principi sacrosanti dell'igiene della morale e della religione, mina l'ordine pubblico. Simone-la faina viene imprigionato e don Tito inviato alla caccia della pillola:

[60] *Il seme sotto la neve*, cit., pp. 507-508.

« Fuorviato da false denunzie, egli fu visto, nella
sua pomposa uniforme da generale, aggirarsi per
i vicoli del paese, il piú spesso di buon mattino
e dopo i pasti, e irrompere come il fulmine in
seno alle famiglie sospette alla ricerca del *corpus
delicti*. Puoi immaginarti come venisse accolto.
Né mancarono episodi scurrili che, per rispetto
alla decenza, ora non voglio ricordare. Il paese
intero, l'intera cafonaglia, interrompendo la sua secolare apatia, era scossa da profonde ondate di
allegrezza, la cui eco arrivava sino nel fetido
sotterraneo, nel quale, modesto martire della libertà del commercio, io giacevo prigioniero ».[61]

L'odissea della pillola perpetua ha termine nelle vi-
scere della zia Eufemia la quale muore avendola in
corpo.

Nella fenomenologia della farsa non dobbiamo dimen-
ticare un episodio di *Fontamara*, di derivazione gogo-
liana, e cioè la storia dei morti-vivi (si tratta di persone che non denunciavano la morte dei familiari e
votavano in loro nome un candidato – don Circostanza
– che li pagava; il paese era diventato famoso cosí
nelle statistiche nazionali, per l'alto grado di longevità
e la mortalità pressoché inesistente); e due momenti di
uso politico di una finta stupidità: Cesidio-don Litro
nel *Seme sotto la neve* e Cerbicca nell'*Avventura d'un
povero cristiano* i quali si fingono mentecatti per dire
ciò che vogliono, senza essere puniti delle scomode
verità proclamate. Qui si ricordi che abbiamo antolo-
gizzato e che l'elemento comico-farsesco è l'autentico
pimento della narrativa di Silone e concorre a formare
quella che abbiamo detto essere in tutte le sue dimensioni la resa della realtà popolare e della classe subal-
terna.

[61] *Ibid.*, p. 353.

A conclusione della rassegna di temi e motivi si vuole indicare a Silone una tradizione, un referente, in genere passato inavvertito nelle griglie critiche. Si tratta
di porre, come a-priori di quasi tutta la narrativa di
Silone, Pirandello romanziere.

Se pensiamo a *Uno, nessuno e centomila*, ai *Quaderni
di Serafino Gubbio operatore* e spostiamo il discorso
di crisi di identità e di rifiuto delle forme borghesi dalle
soluzioni individualistiche, di tuffo nella natura-madre,
alle scelte di impegno sociale, se cioè quindi indirizzia-
mo l'anelito dei personaggi pirandelliani a liberarsi dagli *idola fori, tribus, specus, theatri* verso la lotta per
il riscatto dei dannati della terra, allora abbiamo subito Pietro Spada, Simone la faina e tutta la famiglia
dei diseredati siloniani non piú — pirandellianamen-
te — abbacinati dal miraggio di una purezza algida e
astorica, ma transfughi dalla loro classe per amore.

IV

LA CRITICA

Bisogna fare una premessa di ordine metodologico: sono da distinguere la critica all'estero, sempre altamente positiva e la critica in patria: in parte ferocemente riduttiva (quella di provenienza comunista che talora diventa tout court diffamatoria), in parte elusiva o che addirittura tace quando non si limiti a due parole di circostanza (la critica cosiddetta del « saper leggere »: Cecchi, De Robertis, Pancrazi, ecc...) e in parte, infine, agiografica, apologetica (certe letture di gruppi minoritari o di origine cattolica).

Come punto piú basso della critica su Silone riportiamo il breve e sprezzante giudizio di Luigi Russo. In *I narratori*, guida bio-bibliografica compilata dal Russo, alla voce Silone leggiamo: « Ha acquistato rinomanza all'estero per ragioni estranee all'arte e alla letteratura ». I punti piú elevati sono toccati, come detto sopra, nella critica dei paesi stranieri. Bertrand Russell in una intervista dichiara secondo questo ordine le sue predilezioni nella cultura italiana: « [...] vi dico subito alcuni nomi: Dante, Petrarca, Leonardo da Vinci, Machiavelli, Leopardi. Leonardo oltre che come artista anche come filosofo. Fra i viventi apprezzo molto Ignazio Silone ».

Negli Stati Uniti brani di Silone sono inclusi in due antologie del pensiero politico al fianco e al pari di sommi filosofi o grandi politici. Scrive Luce d'Eramo:

« Silone è l'unico scrittore italiano rappresentato in una antologia americana di idee: *From Source to Statement*, di James M. Mc Crimmon [...], il brano scelto di Silone, inserito nella seconda parte, tratto dal romanzo *Vino e pane*, è accanto a Platone ». Ancora la d'Eramo riporta in un altro punto della sua monografia: « Alcuni brani della *Scuola dei dittatori* vengono tuttora citati o pubblicati in antologie straniere. Segnaliamo in particolare *Essential Works of Socialism* a cura di I. Howe, edito da Holt, Rienhart and Winston, New York-Chicago-San Francisco, 1970, pubblicato simultaneamente in Canadà dalla stessa casa editrice. In questo libro antologico, contenente, tra gli altri, testi di Marx, Engels, Kautsky, Luxemburg, Lenin, Trotzkij, Bucharin e Gilas, Silone è presente con un brano di *La scuola dei dittatori* ».[1]

Un altro esempio può essere *Il Dio che è fallito - sei testimonianze sul comunismo*, volume a cura di R. Crossman, pubblicato a Londra nel 1950 e a New York nel 1963 (in traduzione italiana nel 1957 presso le Edizioni di Comunità; nuova edizione italiana è a cura di F. Ciafaloni presso Bompiani nel 1980), che contiene testimonianze di A. Gide, L. Fischer, A. Koestler, S. Spender, R. Wright insieme al capitolo di Silone, *Uscita di sicurezza*.

Inutile dire che gli approcci critici piú illuminanti avvengono al di fuori di queste linee valutative piú o meno viziate da atteggiamenti pregiudiziali o da enfasi. Pare opportuno introdurre una pagina autocritica di Silone che ha l'intenzione di riferirsi al *Seme sotto la neve*, ma accompagna bene, a nostro parere, tutta la sua narrativa; vorremmo ricordare poi che su Silone piú che la storia della critica risulta illuminante la storia della fortuna; per quel che ci riguarda riferiremo i giudizi

---

[1] Per questo capitolo siamo debitori al vastissimo e già citato studio della Luce d'Eramo cui rimandiamo per ogni ulteriore approfondimento bio-bibliografico. I passi qui riportati si trovano alle pp. 397, 96, 196.

piú acuti e suggestivi senza distendere una rassegna
in ordine diacronico.

Ma ecco la pagina autocritica di Ignazio Silone
(*Il mestiere di scrivere*, in « Tempo Presente », agosto
1962):

« Avevo scritto quel libro ex abundantia cordis,
subito dopo l'occupazione fascista dell'Abissinia
e durante i mostruosi processi di Mosca inscenati
da Stalin per distruggere gli ultimi residui del-
l'opposizione interna. Era difficile immaginare una
concomitanza piú deprimente di eventi negativi.
Il comportamento inumano del generale Graziani
verso i combattenti e i civili etiopici, l'euforia di
molti italiani per la conquista dell'Impero, la pas-
sività della maggioranza della popolazione, l'im-
potenza degli antifascisti, erano notizie che mi
riempivano di un profondo senso di vergogna. A
esso si aggiungevano l'orrore e il disgusto irrepara-
bili per aver servito durante gli anni della gioventú un ideale rivoluzionario che nella sua forma
staliniana, malgrado il diverso contenuto di classe,
si stava rivelando, come allora lo definii, poco
meno che « fascismo rosso ». Pertanto il mio stato
d'animo era piú proclive all'accusa, al sarcasmo,
al melodramma che a una pacata narrazione. Devo
aggiungere che l'eccezionale, e per me del tutto
imprevisto, successo del libro, non mi aveva creato
illusioni, sapendo che alla fortuna di uno scritto
possono talvolta contribuire piú i suoi difetti che
i pregi.
Devo ora specificare che cosa, nel frattempo, mi
sembra di avere imparato? In primo luogo, che lo
scrittore ispirato da un forte senso di responsa-
bilità sociale è piú di ogni altro esposto alla ten-
tazione dell'enfasi, del teatrale, del romanzesco, e
alla descrizione esteriore degli eventi, mentre
quello che solo conta in ogni opera letteraria sono

ovviamente le vicende della vita interiore dei personaggi. Anche il paesaggio, le circostanze, gli
oggetti tra cui l'uomo si muove, meritano di essere
menzionati solo nella misura in cui partecipano
alla vita del suo spirito. E dato che il patetico
non può essere espulso dalla nostra vita, per ren-
derlo sopportabile mi pare che sia sempre utile
accompagnarlo con un po' d'ironia. Col passare
degli anni è anche cresciuta in me la ripugnanza
per ogni forma di propaganda. Di tutte le chiac-
chiere scritte sul cosiddetto « impegno » degli
scrittori che cosa rimane? Il solo « impegno »
degno di rispetto è quello che corrisponde a una
vocazione personale. D'altronde, è provato e risa-
puto che non si può sacrificare all'efficacia la dignità dell'arte, senza sacrificare la stessa efficacia.
In quanto allo stile, mi pare che la suprema sag-
gezza del raccontare è di cercare di essere semplice.
Se persisto ad astenermi dal fare la minima concessione alle nuove mode letterarie, sorte nel frattempo e già in via di esaurimento, non è per partito preso. Ma considero sciocco misurare la mo-
dernità di uno scrittore dagli espedienti tecnici
di cui si serve. Credere che si possa rinnovare la
letteratura con artifizi formali è antica illusione
di retori ».

Passiamo ora in rassegna la narrativa di Silone,
romanzo per romanzo, secondo i migliori giudizi critici. *Fontamara*, come è noto, è stato uno dei libri di
maggior successo del nostro secolo (si parla di un
milione e mezzo di copie; innumerevoli le edizioni e
le traduzioni); TROTZKIJ scrive una lettera all'autore,
CARLO ROSSELLI recensisce il romanzo sui « Quaderni
di Giustizia e Libertà » (editi a Parigi), FRANCO CLERICI
annuncia il libro sull'« Avanti! » di Zurigo (marzo
1933); si susseguono interventi di ADOLF SAAGER, di

BERNARD VON BRENTANO, di AUGUSTA DE WIT, di
GRAHAM GREENE, di KARL RADEK, ecc.;[2] in Italia,
ovviamente si tace del libro.

Gli intellettuali stranieri sottolineano la eccezionale
forza di commozione e di coinvolgimento di queste
pagine; i punti fermi critici raggiunti sono i seguenti:
1) struttura marxista del racconto che è storia di classi
in lotta, non di analisi psicologiche; prevalenza del coro
quindi, della solidarietà di popolo, sui singoli; 2) carattere simbolico: Fontamara è ogni luogo dove uomini
sono oppressi da altri uomini e si ribellano per la loro
liberazione; 3) efficacia rivoluzionaria: l'indignazione e
l'incitamento alla rivolta escono con straordinaria efficacia dalle pagine della narrazione.

In Italia, dopo la guerra, *Fontamara*, nella redazione
definitiva, ha prima una lenta poi una sempre piú
intensa diffusione, diventando un best-seller come
all'estero. Ne scrivono tra gli altri ANTONIO RUSSI,
GIOVANNI RUSSO, GUGLIELMO PETRONI, GIORGIO PE-
TROCCHI, GOFFREDO BELLONCI, CORRADO SOFIA, ALFONSO
GATTO, FRANCO SIMONGINI.[3]

Le cose piú utili le dice Bellonci mettendo *Fontamara*
nella categoria dei libri-manifesto, dei libri-denuncia
come *La capanna dello zio Tom* e tentando un quadro

---

[2] La lettera di Trotzkij si può comodamente vedere in « Il
Punto », 8 marzo 1958; la recensione di C. Rosselli è stata ripub-
blicata in « L'Italia Socialista », 10 giugno 1948; vedi l'articolo
di A. Saager in « National Zeitung », Basilea, aprile 1933; Brentano ha dettato il risvolto di copertina per la seconda ed. (1934)
del libro; la De Wit scrive in « Nieuwe Rotterdamische Cou-
rant », Rotterdam, 9 settembre 1933; G. Greene pubblica una
nota, *I. Silone*, in « The Spectator », Londra, 2 novembre 1934;
Radek compie un intervento al Congresso degli Scrittori Sovietici, pubblicato in « Rundschau », Basilea, 6 settembre 1934.

[3] Rispettivamente in: « Aretusa », aprile 1944; « Italia Socialista », 10 giugno 1948; « La Fiera Letteraria », 11 dicembre
1949; « Il Quotidiano », 25 maggio 1949; comunicazione radio-
fonica, Roma, 8 novembre 1951; « Il Mondo », 2 maggio 1953;
« La Fiera Letteraria », 11 aprile 1954; rubrica televisiva « Arti
e Scienze », 1 maggio 1970.

articolato dei livelli culturali, tematici, ideologici che
confluiscono a formare il romanzo: il neorealismo, il
surrealismo, la letteratura popolare, l'arte abruzzese,
la narrativa sociale, e infine l'europeismo intellettuale.
Conviene ricordare che, *last but not least*, le terre del
Fucino, la terra promessa, l'utopia dei fontamaresi,
sono state espropriate anche per la nascita di uno spirito
di lotta unitaria e di una opinione collettiva sostenuti
dall'opera siloniana.

Anche *Vino e pane* (titolo originale, *Pane e vino*) ha
un clamoroso successo di pubblico e di critica (le con-
suete ripetute edizioni e traduzioni nelle piú svariate
lingue); l'emigrazione degli intellettuali e l'intelligenza
progressista europea lanciano il libro.

Il romanzo è circondato da commossi consensi di esuli
insigni: THOMAS MANN, LIONELLO VENTURI, ARTURO
TOSCANINI, STEFAN ZWEIG. Si mettono in rilievo il profondo amore dello scrittore per i dannati della terra
e l'intrecciarsi suggestivo di tre direzioni: quella etica,
quella religiosa, quella rivoluzionaria. Si comincia anche
a vederne i limiti: la prolissità, un manicheismo sempli-
cistico, l'incertezza dell'intreccio. Riassuntivamente è
utile riportare le idee di R. HUMM il quale paragona
Pane e vino a *Le anime morte* di Gogol': « In entrambi
i libri, scherzi, aneddoti, spunti burleschi si inseguono
nella piú libera corsa, espressi però con infinita malin-
conia. *Pane e vino* è la storia delle peregrinazioni di un
uomo nella sua terra: Pietro Spina si sposta da un
luogo all'altro non solo come Cicikov, ma come Don
Chisciotte e il tedesco Simplicissimus, al quale ultimo
lo ravvicina anche un che di medioevale nella rappresentazione siloniana che ricorda Bruegel. Con *Pane e
vino* Silone rinnova quest'antico patrimonio culturale... ». Accanto alle indicazioni di Humm conviene
mettere, come esempio di convincente ed emozionante
adesione dall'interno all'autore, il saggio di ALFRED
KAZIN, dal quale riportiamo un brano significativo:
« Gli uomini che scrivono libri buoni oggi nel cuore

dell'Europa lo fanno nascosti in rifugi, eppure solo loro sembrano sfuggiti al contagio dell'odio. Legalmente un fuorilegge, ufficialmente uno zero, Silone ha scritto questo libro pieno di compassione, aperto, meravigliosamente sensitivo, in uno spirito raro nella letteratura moderna quanto nelle moderne coscienze [...] la serenità e cordialità del folk-writer, la gioiosa tenerezza di un uomo che ama la sua gente, i suoi ospiti in tempo di pericolo; è l'affetto di un uomo democratico per istinto [...] *Pane e vino* è caratterizzato da questo senso di comunione superbamente comunicato, sebbene gran parte del libro sia lo studio d'una sconfitta e degenerazione: Silone scrive d'un rivoluzionario che perde la fede nella rivoluzione, di popolazioni che perdono la fede in se stesse, dei suoi contemporanei che hanno rinunciato alla fede, che sono ridotti ad agire da sicofanti [...] Eppure Silone, tranquillamente, fantasticamente, artisticamente, sta dicendo in quelle ultime pagine che l'Europa, il continente spezzato, ha un'anima ». *Pane e vino* è il libro a cui rimane maggiormente affidata la celebrità americana di Silone ancora oggi.

In Italia *Vino e pane*, quando può uscire, non crea un ricco dibattito; pertinenti alcuni rilievi di GIOVANNI BATTISTA ANGIOLETTI il quale attribuisce a Silone i seguenti meriti: la capacità di riconoscere l'uomo anche nell'avversario; il recupero e la rappresentazione di una Italia inedita; una lingua che gli pare non incolta, ma volutamente scabra.[4]

La scuola dei dittatori ottiene larga messe di risposte, soprattutto negli Stati Uniti ed in Inghilterra, lo si definisce un classico della democrazia e lo si pone in elettissima compagnia. ALFRED KAZIN fa i nomi di Machiavelli, Bodin, Grotius, Montesquieu; gli inglesi si richiamano a Bernard Shaw; i tedeschi, dal canto loro,

---

[4] A proposito di *Vino e Pane* R. I. Humm ha scritto su « National Zeitung », Basilea, 17 maggio 1936; A. Kazin su « The New York Herald Tribune Book », 11 aprile 1937; G. B. Angioletti su « La Fiera Letteraria », Roma, 4 marzo 1956.

fanno riferimento a Voltaire. In Italia prendono posizione PANFILO GENTILE, LUIGI SALVATORELLI, GENO
PAMPALONI, CARLO SALINARI, LUIGI BALDACCI, ENRICO
FALQUI ed altri; Geno Pampaloni coglie forse la dimensione piú profonda del libro che, oltre ad essere politica,
è morale, cioè al di là dell'antifascismo storico, contro
ogni forma di menzogna sociale, di prevaricazione, di
dittatura.[5] In questo senso tutto il libro appare nel cono
di luce di Tommaso il Cinico (uno di quegli uomini i
quali « al culto formale degli dei anteponevano, seguendo l'insegnamento di Socrate, la pratica della virtú e
tra gli uomini non conoscevano stranieri »).

  Il seme sotto la neve ha provocato un dibattito critico
di eccellente qualità; all'estero si continua ad accostare
Silone ai grandi scrittori umanitari come Tolstoj, Péguy,
Unamuno, Bernanos, Dostoevskij e si trova l'elemento
unificante della sua poetica nella appartenenza morale
ai poveri, nel sentimento della terra, nella dedizione alla
causa dei contadini, nell'aspirazione comunitaria. Pro-
poniamo per esteso una splendida nota di GILBERT
SIGAUX (da: *Silone l'heretique*, in « Combat », Parigi,
10 agosto 1950): « [...] uno dei temi essenziali del *Seme
sotto la neve* è quello del *dépouillement* perché la rivoluzione di Silone è la rivoluzione degli uomini nudi. Non
soltanto nel senso di sprovveduti (*démunis*), ma, piú profondamente nel senso di: uomini soli, solamente uomini.
Uomini che conoscono la loro solitudine e si sforzano
perpetuamente di spezzarla con la fiducia e – perché
non usare questi vecchi vocaboli che non appartengono
a una Chiesa – con le opere di misericordia: dar da
bere agli assetati, vestire gli ignudi, guarire gli amma-
lati ».

  [5] Gli interventi critici citati per *La scuola dei dittatori* appaiono in queste sedi: A. Kazin, « The New York Herald Tribune »,
12 dicembre 1938; P. Gentile, « Il Corriere della Sera », 28 agosto 1962; L. Salvatorelli, « La Stampa », 12 settembre 1962; G.
Pampaloni, « Epoca », 26 agosto 1962; C. Salinari, « Vie Nuove »,
10 dicembre 1962; L. Baldacci, « Il Giornale del Mattino »,
31 ottobre 1962; E. Falqui, « Il Tempo », 30 novembre 1962.

A fuoco anche la critica italiana: da GUIDO PIOVENE che giudica quasi ottocentesca la tecnica del romanzo, istituisce un paragone con Fogazzaro, vede la moralità di Silone come a un tempo patriarcale e rivoluzionaria; a GOFFREDO BELLONCI e a FRANCESCO JOVINE che ricollegano Silone agli scrittori del problema meridionale e ai narratori del mondo subcontadino del Sud; a PIETRO CITATI che giustamente dietro il senso del tragico dell'opera siloniana intravede uno strato profondo ereditario di cultura classica.[6]

Una manciata di more suscita reazioni critiche piú stereotipe; in Italia pittoresche le recensioni del PCI, vere maledizioni, inviti al rogo dell'autore, soprassalti irosi (un articolo di CARLO SALINARI conclude con un esplicito invito a Silone di cambiar mestiere); desideriamo segnalare un intervento piú produttivo di NICOLA CHIAROMONTE secondo il quale « a Silone importa molto piú ritrovare il senso degli antichi luoghi comuni che non scoprire verità. La sua ricerca è che cosa duri, che cosa sia ».

Pertinente al solito la critica straniera: ANDRÉ ROUSSEAUX sottolinea la dimensione libertaria in Silone, la presenza del filone proudhoniano dimenticato, a suo dire, da Marx; MARCEL BRION mette in evidenza la carica mitico-simbolica del realismo siloniano; R. SCHMID scopre come peculiarità di Silone quella di rappresentare i grandi avvenimenti mondiali attraverso gli echi che fanno muovere le vicende di un villaggio; K. KORN individua la composizione a mosaico del libro.

Tralasciamo numerosi altri intelligenti interventi per soffermarci su due: quello di THOMAS BERGIN e quello di W. MUELLER. Bergin nota il carattere non concludente del libro, un certo manierismo, verbosità, sapore

---

[6] Ecco le fonti delle interpretazioni riportate per *Il seme sotto la neve*: G. Piovene, « Città », febbraio 1945; G. Bellonci, « Libera Stampa », 7 settembre 1945; F. Jovine, « L'Italia che scrive », 29 ottobre 1945; P. Citati, « Noi Socialisti », giugno 1948.

letterario stantio; Mueller, su tutt'altro versante, legge
Una manciata di more in chiave biblica e – tranne
qualche esagerazione – coglie il nucleo piú profondo
dell'opera. Secondo Mueller Rocco De Donatis è l'uomo
che rifiuta l'idolatria dell'istituzione sotto qualsiasi
forma religiosa, politica, economica e ama la giustizia
piú di quanto tema il potere ed è conseguentemente
perseguitato.[7]

Per *Il segreto di Luca* GENO PAMPALONI parla di
« bellissimo nodo d'amore »; cosí la critica straniera par-
teggia per il carattere neo-romantico, disteso, dell'intreccio: RENÉ LALOU scrive: « *Il segreto di Luca* è
una storia d'amore e di fedeltà, bella e nobile come
una leggenda »; J. DASSORI parla di « bei fiori sel-
vaggi »; SANDRA VILARDI descrive Luca come « un gentile eroe, rassegnato e triste ».[8]

La volpe e le camelie riuscí meglio accetto alla critica italiana in quanto racconto lineare, non sovracca-
rico di simbologia, ma significative riserve avanza GENO
PAMPALONI definendo il romanzo « un'opera minore,
macchinosa e poco significativa ». Cosí DOMINIQUE FER-
NANDEZ afferma che: « Da *Fontamara* l'arte di Silone
non ha progredito verso la luce e verso la verità. *La
volpe e le camelie* è lo sbocco di una lentissima regres-
sione ».

Buon successo ottiene il romanzo in America; le tes-

---

[7] Leggi gli autori citati per *Una manciata di more* nelle seguenti pubblicazioni: C. Salinari, in « L'Unità » (ed. di Genova),
2 agosto 1952; N. Chiaromonte, in « Il Mondo », 23 agosto
1952; A. Rousseaux, in « Le Figaro Littéraire », 17 maggio 1953;
M. Brion, in « Le Monde », Parigi, 15 luglio 1953; R. Schmid, in
« Stuttgarter Zeitung », 31 gennaio 1953; K. Korn, in « Frank-
furter Allgemeine Zeitung », 8 agosto 1953; Th. Bergin, in
« Thought », New York, 8 maggio 1954; W. R. Mueller, saggio edito presso Association Press, New York, 1959.
[8] Rispettivamente (per *Il segreto di Luca*): G. Pampaloni,
in « L'Espresso », 17 marzo 1957; R. Lalou, in « Les Nouvelles
Littéraires », Parigi, 11 luglio 1957; J. Dassori, in « Cahiers de
Neuilly », luglio 1958; S. Vilardi, « Albertinum », vol. XXII, New
Honeca, Connecticut 1958.

sere critiche di THOMAS BERGIN, MARK SLONIM e IRVING
HOWE concordano nel ritrovarvi la solidità realistica
tipica dello scrittore, ma aggiunta a una migliore tecnica del racconto. Questi intellettuali radicali degli
Stati Uniti apprezzano poi regolarmente in Silone l'istin-
tivo spirito democratico e la religiosità nativa che non
si esprime in strutture confessionali. Altri critici prendono spunto da *La volpe e le camelie* per una ricognizione su tutta la narrativa siloniana del dopo-esilio e
concludono a un sostanziale impoverimento dello scrittore e a una progressiva perdita di incidenza; in compendio ci sembra perentoria, per questa linea di interpretazione, l'opinione del critico del « New Statesman »
il quale parla di: « ... tristezza di uno scrittore privato
della sua causa ».[9]

Uscita di sicurezza del '65 provoca l'esaltazione del
caso Silone (anche per la faziosa esclusione dal Premio
Viareggio) e dà l'occasione alla critica italiana di un
esame di coscienza e di una virata di bordo. Il testo
piú celebre, quello che dà il titolo al libro, era già
uscito nel '49, provocando tra l'altro una dura risposta
polemica di Togliatti; ripubblicato nel '65, in tempi di
immediato post-concilio, di centro-sinistra, di dialogo
cattolici-comunisti, incontra una favorevolissima risposta di pubblico. Al testo autobiografico piú complesso
si aggiungono altre pagine, egualmente di memorie, del
miglior Silone quello cioè che si limita a raccontare
nella sua maniera un po' grezza, ma riscattata da una
commossa adesione e partecipazione alle cose e alle
persone senza sovrimpressioni di pesante moralismo (infatti è interessante notare come gli ultimi scritti di
Uscita di sicurezza – citiamo per tutti *Ripensare il pro-*

⁹ Critici de *La volpe e le camelie*: G. Pampaloni, in « L'Espresso », 17 marzo 1957; D. Fernandez, in « L'Express », Parigi,
7 luglio 1960; Th. Bergin, in « The New York Herald Tribune »,
28 maggio 1961; M. Slonim, in « The New York Times Book
Review », 28 maggio 1961; I. Howe, in « The New Republic »,
New York, giugno 1961.

gresso – che hanno ambizioni sociologiche, vengono
regolarmente trascurati nelle recensioni: il Silone critico della cultura interessa decisamente meno del Silone
narratore). *Uscita di sicurezza,* col suo carattere di riassunto della vita e quindi di repertorio dei temi che
stanno alla sorgente delle opere, si presta bene a una
specie di punto, di riesame generale sullo scrittore.
Come di fatto avviene.

CARLO BO scrive su « L'Europeo »: « Silone dà noia,
ma darebbe altrettanto noia il libro di un ex-cattolico
che illustrasse i frutti della sua evoluzione spirituale:
insomma dà noia tutto ciò che inquieta e vien meno
alle regole del buon comportamento. Diremo allora che
per costituzione non sopportiamo l'indagine libera, il
confronto personale ».

ARRIGO BENEDETTI, invece, afferma su « L'Espresso »:
« Il passato di militante politico impedí a Silone di
intonarsi alla figura eterna dello scrittore italiano che
in politica non commette mai errori perché sta con
tutti, irridendo di volta in volta coloro con cui si
trova, convinto che la letteratura gli dia tale diritto ».

CLAUDIO MARABINI su « Il Resto del Carlino » cosí
si esprime: « ... ha rotto con un fortissimo partito politico, milita per sé solo, si batte contro la burocrazia,
la partitocrazia, qualsiasi ingranaggio tenda ad annul-
lare l'uomo, indica nel dissidio tra Stato e società (e
società vuol dire uomo) il problema di domani, fa
appello a Cristo e allo spirito di libertà, incita ad essere
anticonformisti e a non arenarsi mai. Ce n'è a iosa per
risultare isolato ».

I francesi prestano molta attenzione alla pubblicazione nel loro paese di *Uscita di sicurezza,* anche per
aver avuto almeno due casi egualmente celebri e che
fecero scalpore, di intellettuali (Gide e Camus) i quali
ruppero clamorosamente col marxismo. Inoltre la coe-
sistenza anzi la fusione di una dimensione proletaria, di
difesa dei poveri e di una dimensione religiosa, messianica, ribadite in tutta la narrativa siloniana e ancora

in *Uscita di sicurezza*, richiamano al pubblico e alla critica francesi i grandi nomi di Péguy e Bernanos. Negli Stati Uniti non si dà invece particolare rilievo all'opera che viene vista come epigonica, non innovativa; rilevante eccezione è però un saggio di IRVING HOWE, critico regolarmente attento a Silone. Howe ricapitola su tutto Silone: « Educato in Italia, una nazione carica di cultura retorica, egli appare immune da tutte le tentazioni dell'esibizionismo verbale [...] Unisce nel suo stile la solidità del contadino e la dialettica dell'intellettuale. Leggerlo è incontrare l'antichità in certi aspetti dell'Europa: tutti quei preti saggi e tormentati [...] tutti quei rivoluzionari braccati e dubbiosi [...] in *Uscita di sicurezza* [...] il titolo non è puramente esornativo: per scrittori come lui, che rifuggono dal fascismo, lottano contro lo stalinismo, vivono in esilio, sempre scomodi e fuori moda, la vita è stata una continua ricerca di uscite di sicurezza ». Howe termina apparentando Silone a Orwell, uno dei maestri del romanzo utopico (è da dire che in Inghilterra Silone viene regolarmente paragonato a Huxley, altro celebre romanziere dell'Utopia).[10]

L'avventura d'un povero cristiano, ultima opera di Silone, ancora una volta riscuote un clamoroso successo editoriale, critico, polemico; singolare poi la diffusione capillare nella nazione e la messe di recensioni su quotidiani e periodici maggiori, minori e minimi. Straordinario l'interesse di parte cattolica; meno numerose – diminuzione relativa, naturalmente, trattandosi del nostro scrittore piú letto nel mondo – le attenzioni critiche degli stranieri. Ci soffermiamo su tre passi di autori italiani che ci servono per individuare i tre filoni principali della critica a quest'opera: un giudizio

---

[10] Critici riportati per *Uscita di sicurezza*: C. Bo, in « L'Europeo », 1 agosto 1965; A. Benedetti, in « L'Espresso », 18 luglio 1965; C. Marabini, in « Il Resto del Carlino », 17 luglio 1965; I. Howe, in « The New York Times Book Review », 29 dicembre 1969.

linguistico-espressivo (di Pampaloni); uno tematico (di Piovene); un giudizio fortemente limitativo (di Savioli).

GENO PAMPALONI: « ... come accade agli scrittori di vena religiosa, frequentatori degli assoluti, ricerche formali, sperimentalismi e la stessa « idea di letteratura » passano in secondo piano. Il discorso di Silone è unitario sino alla monotonia, si sviluppa con il medesimo passo, è concentrico ai medesimi temi [...] La forza di I. Silone, anche in questo libro, consiste nel modo originale e quasi misterioso con cui, da un quadro stilistico tradizionale e persino arcaico erompe un'attualità morale che non dà scampo ».

GUIDO PIOVENE: « Tra francescani dissidenti, morronesi, e un papa eremita che accettava il potere soltanto per negarlo, sullo sfondo di una folla povera e contadina si disegna un moto (ma autentico) di "contestazione totale"; contestazione del sistema, dell'apparato dominante, del potere, della politica, della storia come è fatta da chi la fa, degli stessi costumi e dei valori vigenti tra gli adattati. La speranza è in un mondo liberato nel quale la storia sia scritta dal basso ».

A. SAVIOLI: « ... non diremmo che il clima post-conciliare abbia influito se non accidentalmente sulla concezione e sulla stesura del testo. Silone, ex-comunista (ma questo "ex" risale al 1930), socialdemocratico poco militante e cattolico di complemento – sia detto senza offesa – vagheggia "un cristianesimo demitizzato, ridotto alla sua sostanza morale". Il dissidio che egli propone ha una staticità di fondo e scarse rispondenze attuali: è arduo stabilire equazioni tra l'evangelismo apocalittico di Celestino V e l'operosità tutta terrestre d'un Giovanni XXIII, intrisa di fiducia nell'uomo e nel suo divenire [...] Ieri come oggi il problema non sembra essere quello del disimpegno della Chiesa dalla politica, ma piuttosto di un diverso tipo di impegno [...] I dialoghi tra Celestino e Bonifacio, pertanto, sono quasi un colloquio tra sordi e le tensioni effettive del nostro tempo, dentro e fuori la Chiesa, vi si riflettono in misura molto modesta ».

L'avventura d'un povero cristiano, per la tematica direttamente religiosa, si inserisce, anche con maggior evidenza di *Uscita di sicurezza*, nel fermento post-conciliare. Dal successo in Italia si passa al successo all'estero, tanto nei paesi di cultura cattolica quanto in quelli di area protestante (i cattolici tentano di recuperare il discorso di Silone in chiave riformista, quasi fatto dall'interno della ortodossia cattolica: in quegli anni si parlava di un Silone prossimo al ritorno alla osservanza cattolica. I protestanti accentuano ovviamente i motivi opposti, di critica radicale, di espressione del libero pensiero, quasi spunti di una linea para-protestante). Il pensiero della critica francese può approssimativamente ricondursi ai tre punti centrali dell'articolo di GUY LE CLECH: 1) Silone ricorda che: « le stesse esigenze morali s'impongono tanto all'individuo quanto alla società ». 2) Tutta l'opera di Silone esprime la lotta tra « famiglie spirituali » e « apparati », fondata su esperienze vissute. 3) Silone non cessa mai di sostenere « la parte irriducibile che spetta al sogno ». Sulla linea di questi tre punti è molto netto il giudizio conclusivo del critico de « Les Nouvelles Littéraires » che dice: « [...] un'opera appassionante perché fortemente sentita, un invito all'uomo di tenersi fuori da ogni organizzazione edificata in nome delle leggi, dei dogmi, dei partiti, delle religioni. L'uomo delle strutture deve scegliere di perdere la propria anima e di condannare inevitabilmente il suo prossimo; l'uomo dei sistemi si scopre a una certa ora un volto da carnefice fanatico. Silone si mantiene oggi e da trentotto anni fuori dalla mischia. Il povero cristiano è lui, beninteso. Dà a intendere quello che ha compreso ».[11] Anche

---

[11] Critici citati per *L'avventura d'un povero cristiano*: G. Pampaloni, in « Corriere della Sera », 2 aprile 1968; G. Piovene, in « La Stampa », 21 aprile 1968; A. Savioli, in « L'Unità »,

negli Stati Uniti l'opera è molto letta, all'interno di
quella linea di revival mistico, extra-ecclesiastico, sin-
cretistico (che vuole attingere Cristo senza mediazioni
accanto agli altri grandi rivelatori di religione della
storia) caratteristica di parte della società americana.
Dopo l'*Avventura d'un povero cristiano*, Silone è stato
proposto per il premio Nobel, come riconoscimento a
tutta l'opera.

Al termine di questa ricognizione biografica, tematica, critica, l'imponente successo editoriale di Silone
ci pare si debba attribuire al fascino della sua esperienza umana, prima di militante rivoluzionario poi di
moralista critico « socialista senza partito, cristiano
senza chiesa »; e tali suoi modi di essere diventano
contenuti delle opere trasvalutandosi in miti di liberazione (il mondo redento), in analisi di critica storico-
sociale (il mondo offeso), nell'attualizzazione di un
discorso religioso depurato dai compromessi col potere
e da ogni struttura istituzionale (l'imitazione di Cristo);
e tutto è detto con una tecnica narrativa non d'avanguardia e perciò di facile uso (come è di facile immediato uso la chiara divisione delle parti tra oppressi
e oppressori e il raccontare per aneddoti parabole storie
significative: nel nostro scrittore c'è il gusto schietto
dell'intreccio ricco, affollato, movimentato da colpi di
scena, rivelazioni, misteri che attendono d'essere risolti)
e da una straordinaria capacità di comunicare col lettore su un tono istintivamente medio e quindi di consumo – qui si usa la parola non nell'accezione dete-
riore, ma in quella dei mass media – universale.

La pubblicazione postuma di *Severina* (1981) riac-
cende l'interesse della critica, ma senza spostare i termini del dibattito generale sull'autore, anzi ribadendo
uno schieramento, ancora una volta, dicotomico.

5 agosto 1969; G. Le Clech, in « Le Figaro Littéraire », Parigi,
14 aprile 1969; M. Random, in « Les Nouvelles Littéraires »,
Parigi, 21 novembre 1968.

V

NOTA BIBLIOGRAFICA*

OPERE DI IGNAZIO SILONE

Narrativa

Fontamara, Zurigo, 1933, Basilea, 1934 (in tedesco); Parigi-Zurigo, 1934 (in italiano); Roma, Faro, 1945; Milano, Mondadori, 1949.

Pane e vino, Zurigo, 1936 (in tedesco); Lugano, 1937 (in italiano). Prima edizione in Italia, completamente riveduta e col titolo *Vino e pane*, Milano, Mondadori, 1955.

Il seme sotto la neve, Zurigo, 1941 (in tedesco); Lugano, 1942 (in italiano); Roma, Faro, 1945; Milano, Mondadori, 1950, 1961 (interamente riveduta).

Una manciata di more, Milano, Mondadori, 1952.

Il segreto di Luca, Milano, Mondadori, 1956.

La volpe e le camelie, Milano, Mondadori, 1960.

L'avventura d'un povero cristiano, Milano, Mondadori, 1968.

Severina (postumo), Milano, Mondadori, 1981.

Saggistica

Der Fascismus; seine Entstehung und seine Entwicklung, Zurigo, 1934.

La scuola dei dittatori, Zurigo, 1938 (in tedesco); Milano, Mondadori, 1962.

Ed egli si nascose, Zurigo-Lugano, 1944; Roma, Documento, 1945, e in « Teatro », n. 12-13, 1° luglio 1950.

* Una scelta delle opere di Ignazio Silone – *Paese dell'anima* – che comprende brani da *Uscita di sicurezza, Fontamara, Il seme sotto la neve, Una manciata di more, Vino e pane, La volpe e le camelie, Il segreto di Luca,* è pubblicata dalle Edizioni A.P.E. nella collana « La nuova biblioteca » a cura di Maria Letizia Cassata.

L'eredità cristiana: l'utopia del Regno e il movimento rivo-luzionario (conferenza tenuta a Roma nel 1945).

La situazione degli ex e *La lezione di Budapest,* articoli inse-riti nell'edizione Longanesi del 1980 di *Uscita di sicu-rezza.* Il primo è la traduzione di una conferenza tenuta nel febbraio 1942 a Zurigo a esuli tedeschi; il secondo apparve su « L'Express » di Parigi il 7 dicembre 1956.

L'Abruzzo, in *Abruzzo e Molise* (« Attraverso l'Italia », XIV), Milano, Touring Club Italiano, 1948.

Testimonianze sul comunismo, Torino, Comunità, 1950.

La scelta dei compagni, Torino, « Quaderni » dell'Associa-zione Culturale Italiana, 1954.

La narrativa e il « sottosuolo meridionale », in: AA.VV., *La narrativa meridionale,* Quaderni di « Prospettive Meri-dionali » n. 1 (Roma 1956), pp. 93-102.

Un dialogo difficile, Roma, Opere Nuove, 1958.

Gouvernement représentatif et libertés publiques dans les Etats nouveaux, è un opuscolo pubblicato a Parigi nel 1959 insieme a K. Pramoj, G.K. Galbraith, A. Hourani.

Uscita di sicurezza, Firenze, Vallecchi, 1965.

L'ombra degli apparati, in: AA.VV., *I partiti e lo Stato* a cura di G. Spadolini (Bologna, « Quaderni del Carlino », 1962), pp. 29-38.

Ecco perché mi distaccai dalla Chiesa, in « La Discussione », 31 ottobre 1965, e in « La Fiera Letteraria », 7 novem-bre 1965.

L'avventura d'un povero cristiano (dall'omonima opera nar-rativa), in « Il Dramma », 12 settembre 1969.

BIBLIOGRAFIA DELLA CRITICA

Opere di carattere generale

G. MARIANI, *Ignazio Silone,* in *I contemporanei* (vol. III), Milano, Marzorati, 1960.

R. W. B. LEVIS, *Introduzione all'opera di I. Silone,* Roma, Opere Nuove, 1961.

L. D'ERAMO, *I. Silone. Studio biografico critico,* Milano, Mondadori, 1972.

A. SCURANI, *I. Silone,* Milano, Ed. di « Letture », 1973².

AA.VV., *Socialista senza partito - Cristiano senza Chiesa,* Torino, Edizioni Paoline, 1974.

P. ARAGNO, *Il romanzo di Silone,* Ravenna, Longo, 1975.

G. RIGOBELLO, *Ignazio Silone,* Firenze, Le Monnier, 1975.

F. VIRDIA, *I. Silone,* Firenze, La Nuova Italia, 1979².

E. GUERRIERO, *L'inquietudine e l'utopia. Il racconto uma-no e cristiano di Ignazio Silone,* Milano, Jaca Book, 1979.

V. ARNONE, *Ignazio Silone,* Roma, Edizioni dell'Ateneo, 1980.

A. Gasbarrini-A. Gentile, *Silone tra l'Abruzzo e il mondo*, L'Aquila, Ferri, 1980².

E. Circeo, *Da Croce a Silone*, Roma, Edizioni dell'Ateneo, 1981.

A. Ruggeri, *Don Orione, Ignazio Silone e Romoletto*, Tortona, Don Orione, 1981.

G. Padovani, *Letteratura e socialismo. Saggi su Ignazio Silone*, Catania, Marino, 1982.

I. Origo, *Bisogno di testimoniare*, Milano, Longanesi, 1985.

S. Martelli-S. Di Pasqua, *Guida alla lettura di Silone*, Milano, Mondadori, 1988.

Fontamara

F. Clerici, rec. in « Avanti! », Zurigo, marzo 1933.

A. Saager, rec. in « National Zeitung », Basilea, aprile 1933.

C. Rosselli, rec. in « Quaderni di G. e L. », Parigi, novembre 1933, (vedilo in « L'Italia Socialista », 10 giugno 1948).

E. Herup, *Historien om Fontamara*, in « Politiken », Copenaghen, 24 marzo 1934.

I. Madass, *Apostolok oszlaza*, in « Litteratura », Budapest, marzo 1934.

K. Radek, *Discorso al Congresso degli Scrittori Sovietici*, Mosca, 17 agosto 1934.

G. Greene, *I. Silone*, in « The Spectator », Londra, 2 novembre 1934.

G. Russo, *I cafoni e il Solito Sconosciuto*, in « Italia Socialista », 10 giugno 1948.

G. Petroni, *Testimonianza a I. Silone*, in « La Fiera Letteraria », 11 dicembre 1949.

G. Bellonci, *Ritratto di Silone*, trasmesso alla RAI, 8 novembre 1951.

L. Trotzkij, *Una lettera di Trotzkij a Silone* (titolo redazionale, la lettera è dell'ottobre 1933), « Il Punto », 8 marzo 1958.

R. Lewis, *Lettura di Fontamara*, in « Rewiews », New York, 1960.

A. Russi, rec. (del '44) ora in *Gli anni dell'antialienazione* (1943-'49), Milano, Mursia, 1967.

C. Aliberti, *Come leggere « Fontamara » di Ignazio Silone*, Milano, Mursia, 1983² (è l'opera piú ricca degli ultimi anni, cui conviene anche fare capo per la piú recente bibliografia).

P. Spezzani, *Fontamara di Silone. Grammatica e retorica del discorso popolare*, Padova, Liviana, s.d.

Pane e vino (Vino e pane)

R. I. Humm, *Ein Roman aus dem heutigen Italien*, in « National Zeitung », Basilea, 17 maggio 1936.

E. Muir, *New Novels – Bread and Wine – by Ignazio Silone*, in « The listener », New York, 10 dicembre 1936.

Ph. Rahv, *The Revolutionary Conscience*, in « The Nation », New York, 10 aprile 1937.

A. Kazin, *I. Silone's Compassionate Parable*, in « The New York Herald Tribune Book », 11 aprile 1937.

F. W. Dupee, *After Fontamara. A Silone Novel and Escapade in Eschatology*, in « New Masses », New York, 13 aprile 1937.

S. Zweig, *Lettera all'autore da Londra*, del 2 novembre 1937.

T. Mann, *Lettere di Th. Mann agli editori Harper and Brothers*, New York, 1937.

M. Vaussard, *Le pain et le vin*, in « Temps Présent », Parigi, 1 aprile 1939.

G. B. Angioletti, *La stagione più meditata d'uno scrittore autentico (Silone dopo Pane e vino)*, in « La Fiera Letteraria », 4 marzo 1956.

La scuola dei dittatori

C. Fadiman, rec. in « The New Yorker », 26 novembre 1938.

A. Kazin, *A Dialogue on Dictatorships*, in « The New York Herald Tribune », 12 dicembre 1938.

M. Muggeridge, rec. in « Time and Tide », Londra, 4 febbraio 1939.

G. Pampaloni, *Silone preferisce definirsi cinico*, in « Epoca », 26 agosto 1962.

P. Gentile, *Tommaso il Cinico*, in « Corriere della Sera », 28 agosto 1962.

L. Salvatorelli, *I. Silone ha scritto un Principe per il XX secolo*, in « La Stampa », 12 settembre 1962.

C. Salinari, *Il cinico di Silone*, in « Vie Nuove », 10 dicembre 1962.

M. Foot, *One Man Against All Tides*, in « Evening Standard », Londra, 30 giugno 1964.

H. K. Wendland, *Seminar für Democraten*, in « Berliner Stimme », 16 ottobre 1965.

Il seme sotto la neve

L. Gannet, rec. in « The New York Herald Tribune », 1942.

I. Cournos, rec. in « New York Times », 1942.

I. P. Samson, *Silone oder die Anti-Rethoric*, in « Der Aufbau », Zurigo, 21 maggio 1943.

G. Piovene, *Moralità di Silone*, in « Città », febbraio 1945.

D. Paul, *Silone in Italia*, in « Il Mese », marzo 1945.

G. Bellonci, rec. in « Libera Stampa », 7 settembre 1945.

F. Iovine, *Silone ultimo*, in « L'Italia che scrive », 29 ottobre 1945.

P. Citati, *I. Silone romanziere*, in « Noi Socialisti », giugno 1948.

G. Sigaux, *Silone l'herétique*, in « Combat », Parigi, 10 agosto 1950.

I. Albert-Aesse, *Entre ciel et misère, Le grain sous la neige*, in « Franc-Tireur », Parigi, agosto 1950.

Una manciata di more

C. Salinari, *L'ultimo Silone*, in « L'Unità » (ed. di Genova), 2 agosto 1952.

G. Petronio, *Le acerbe more di I. Silone*, in « Avanti! », 14 agosto 1952.

N. Chiaromonte, *Silone e l'esperienza del cafone*, in « Il Mondo », 23 agosto 1952.

R. Schmid, *I. Silone*, in « Stuttgarter Zeitung », 31 gennaio 1953.

A. Rousseaux, *Les vérités terriennes d'I. Silone*, in « Le Figaro Littéraire », 17 maggio 1953.

M. Brion, *Trois romans italiens*, in « Le Monde », Parigi, 15 luglio 1953.

Th. Bergin, *From Revolution to Freedom*, in « Thought », New York, 8 maggio 1954.

E. Cecchi, cfr. tutti gli interventi su Silone in *Di giorno in giorno*, Milano, Garzanti, 1954.

W. R. Mueller, *The Theme of the Remnaut*, in *The Profetic Voice in Modern Fiction*, New York, Association Press, 1959.

G. Pampaloni, « Rassegna dell'approdo radiofonico », del settembre 1960.

Il segreto di Luca

G. Pampaloni, *Silone romantico*, in « L'Espresso », 17 marzo 1957.

L. Gigli, *Una tragedia contadina*, in « La Gazzetta del Popolo », 25 aprile 1957.

R. Lalou, rec. in « Les Nouvelles Littéraires », Parigi, 11 luglio 1957.

J. Dassori, rec. in « Cahiers de Neuilly », luglio 1958.

S. Vilardi, *The Secret of I. Silone*, in « Albertinum », vol. XXII, New Honeca, Connecticut, 1958.

F. Alfonsi, *Il Vangelo secondo Silone: Il segreto di Luca*, in « Città di vita », marzo-aprile 1976, pp. 93-110.

La volpe e le camelie

G. Pampaloni, *Silone romantico*, in « L'Espresso », 17 marzo 1957.

D. Fernandez, *Le renard et les camèlias, par I. Silone*, in « L'Express », Parigi, 7 luglio 1960.

Th. Bergin, *Silone's Novel of a Farm Family and a Fascist Spy*, in « The New York Herald Tribune », 28 maggio 1961.

M. Slonim, *Life Simple Rewards, so Hard to Win*, in « The New York Times Book Review », 28 maggio 1961.

I. Howe, *Beyond the Middle Years*, in « The New Republic », New York, giugno 1961.

Uscita di sicurezza

C. Marabini, *La battaglia dell'indomito Silone*, in « Il Resto del Carlino », 17 luglio 1965.

A. Benedetti, *Silone e Viareggio*, in « L'Espresso », 18 luglio 1965.

C. Bo, *Hanno avuto paura*, in « L'Europeo », 1 agosto 1965.

M. Nadeau, *Un homme libre*, in « La Quinzaine Littéraire », Parigi, agosto 1966.

I. Howe, *The Most Reflective of Radical Democrats*, in « The New York Times Book Review », 29 dicembre 1969.

L'avventura d'un povero cristiano

G. Pampaloni, *L'ultimo Silone*, in « Corriere della Sera », 2 aprile 1968.

G. Piovene, *Silone grande scrittore malconosciuto in Italia*, in « La Stampa », 21 aprile 1968.

M. Randon, *Silone hors de la mêlée*, in « Les Nouvelles Littéraires », Parigi, 21 novembre 1968.

G. Le Clech, *I. Silone, l'écrivain « qui parle à l'Europe entière »*, in « Le Figaro Littéraire », Parigi, 14 aprile 1969.

A. Savioli, *Dialogo tra sordi sulla politica della Chiesa*, in « L'Unità », 5 agosto 1969.

INDICE DEI NOMI

INDICE DELLE OPERE DI SILONE

INDICE GENERALE